Donald Smith

# GILBERT LA ROCQUE

## l'écriture du rêve

Avec la collaboration de
Gilles Dorion, Réjean Robidoux
et André Vanasse

**QUÉBEC/AMÉRIQUE**

450 est, rue Sherbrooke, Suite 390
Montréal, Québec H2L 1J8
Tél.: (514) 288-2371

Photo: Françoise Lemoyne

# NOTICE BIOGRAPHIQUE

Gilbert La Rocque est né à Rosemont le 29 avril 1943. Dès l'âge de huit ans, il travaille à la bibliothèque de l'école Brébeuf, s'entourant de livres, dévorant contes et romans.

Gilbert La Rocque est âgé de onze ans lorsque sa famille déménage à Montréal-Nord. Il gardera en mémoire les luttes quotidiennes des ouvriers de Rosemont, leurs peines, leur exploitation.

Il commence son cours classique, l'abandonne en Belles-Lettres, fait trente-six métiers pour gagner sa vie : ferblantier, comme son père ; ouvrier du bâtiment ; employé de banque ; commis à l'hôtel de ville. Démoralisé par tant d'emplois déshumanisants pour lui, il trouve sa seule planche de salut : l'écriture.

En 1972, Gilbert La Rocque devient chef de rédaction aux Éditions de l'homme. Trois ans plus tard, on le retrouve aux Éditions de l'Aurore où il occupe le poste de directeur littéraire. Il se consacre de plus en plus à son œuvre de romancier, et travaille aussi comme pigiste à *Maclean,* à *Livres d'ici,* et à *Perspectives.* De tempérament énergique, il manifeste sa vigueur et sa fougue tant au plan intellectuel que physique : il sera ceinture brune de karaté !

En 1978, il est nommé directeur littéraire aux Éditions Québec/Amérique. Grâce à sa collection « Littérature d'Amérique », où furent publiés plus de cinquante titres en six ans, Gilbert La Rocque a créé un lieu de rencontre privilégié, ouvert aux meilleurs romanciers des Amériques. Des essais de qualité, ainsi que des œuvres de fiction riches et variées provenant du

Québec, du Canada anglais, des États-Unis et d'Amérique du Sud, y trouvent leur place. En tant que rédacteur en chef du magazine d'information de Québec/Amérique, La Rocque acquiert une solide réputation de polémiste ; servi par une verve caustique peu commune, il s'attaque avec ironie aux injustices commises dans le monde littéraire du Québec.

Gilbert La Rocque est l'auteur de six romans et d'une pièce de théâtre. Lauréat du Prix Canada-Suisse et du Grand Prix du *Journal de Montréal,* élu Grand Montréalais de l'avenir pour sa contribution aux lettres québécoises, Gilbert La Rocque est reconnu comme un des romanciers les plus originaux de sa génération.

Décédé le 26 novembre 1984, Gilbert La Rocque habitait à côté du Mont Saint-Hilaire. Il y partageait sa vie avec son épouse Murielle Ross, sa fille Catherine, et son fils Sébastien.

Mes remerciements à Brigitte et à Michel Gaulin dont les conseils m'ont été très précieux.

# COLLABORATEURS

Directeur du magazine *Québec français,* Gilles Dorion enseigne la littérature québécoise à l'Université Laval. Il collabore à plusieurs revues, et prépare un ouvrage sur l'espace dans le roman d'aventures québécois du dix-neuvième siècle.

Ancien directeur du département des lettres françaises de l'Université d'Ottawa, Réjean Robidoux enseigne les littératures française et québécoise. Il est l'auteur de *Roger Martin du Gard et la religion* (Prix du Gouverneur général, 1967), et du *Roman canadien-français du vingtième siècle* (en collaboration avec André Renaud). Réjean Robidoux publie régulièrement des articles dans des revues, et prépare actuellement un essai sur Gérard Bessette.

Ancien directeur du département d'études françaises de l'Université Carleton, Donald Smith enseigne la littérature québécoise. Il est l'auteur de *L'Écrivain devant son œuvre* (traduit en anglais sous le titre *Voices of Deliverance*), de *Gilles Vigneault, conteur et poète,* et du *Manuel pratique du français québécois et acadien,* écrit en collaboration avec le linguiste Sinclair Robinson. Donald Smith publie régulièrement dans des revues et des magazines, et prépare une édition critique du journal intime de Gérard Bessette.

Ancien directeur du département d'études littéraires de l'Université du Québec à Montréal, et de la revue *Voix et images,* directeur des collections « Les Cahiers du Québec » (HMH), et des « Cahiers du département d'études littéraires » (UQAM), André Vanasse enseigne la littérature québécoise et collabore à plusieurs revues et magazines. Il prépare un essai sur « La figuration familiale dans le roman québécois », et termine son deuxième roman.

# Images intérieures et symboles dans l'œuvre de Gilbert La Rocque

## Le rêve du *Nombril*

Les romans de Gilbert La Rocque possèdent une étrange unité, une organisation interne provenant d'images intérieures, de scènes récurrentes qui, tels de vibrants symboles, donnent un sens à l'œuvre tout entière. Lire Gilbert La Rocque, c'est entrer de plain-pied dans un univers onirique riche en significations. C'est pénétrer dans le monde fantasmagorique du subconscient.

Dès le premier roman de La Rocque, la force motrice de l'ensemble de l'œuvre se fait sentir :

> ...Il croyait savoir que sa vie baignait dans un brouillard, qu'elle avait l'inconsistance d'un rêve, que depuis long-temps — si longtemps qu'il ne pouvait plus se rappeler l'époque où avait commencé ce sommeil — il n'avait cessé de vivre un étrange rêve, léthargie brumeuse balisée çà et là de quelques trouées lumineuses...des couleurs, des odeurs, des visages, des voix et des lieux. (*Le Nombril*, p. 50)

« Trouées lumineuses » et moments privilégiés de l'enfance s'intercalent dans le présent et permettent aux différents narrateurs de respirer momentanément dans leur chute effrénée vers le désespoir.

Les histoires racontées par Gilbert La Rocque ne constituent jamais une partie essentielle des romans. L'intrigue est réduite à sa plus simple expression, envahie en quelque sorte par les souvenirs. Le romancier procède par scènes et par tableaux dont le lecteur sort abasourdi, désorienté, comme s'il se livrait à ses propres souvenirs. Chaque roman a pourtant une histoire, un postulat de départ, une charpente narrative. Prenons le cas du *Nombril* : Jérôme, vingt ans, désabusé par la vie, n'en peut plus de son travail déshumanisant de comptable dans une compagnie d'exportation située dans le Vieux-Montréal. Sa petite amie naïve, Nathalie, ne l'intéresse guère plus. La crise du F.L.Q., la guerre du Viet-Nam, des massacres filmés en direct pour la télévision, voilà l'action extérieure, la toile de fond du roman, son encadrement dans la réalité quotidienne. Le vrai sujet du roman réside pourtant ailleurs, dans le for intérieur du personnage principal. Jérôme est un être violent, surtout dans sa tête. Ses fantasmes nous confrontent avec la cruauté universelle de l'homme. Nombreuses sont les scènes de torture bondissantes et enfiévrées qui transforment chaque lecteur en un témoin d'assassinats absurdes et bêtes :

> On est tous à genoux dans la rue...Tiens, suppose ici, devant la bâtisse...On est tous à genoux, la tête penchée en avant, les bras si bien attachés derrière le dos que les coudes se touchent...Tu vois ?...Un officier en casquette passe de l'un à l'autre, l'un après l'autre...et tu ne peux pas t'empêcher de voir un peu du coin de l'œil, hein ? tu vois tout, comment ça va se passer quand ça va être ton tour, il loge tranquillement une balle de son pistolet automatique dans chaque nuque, une balle c'est assez, et quand il en a étendu sept sanglants, il s'arrête un peu...et tu risques encore un coup d'œil de son côté, tu vois qu'il se rapproche quand même diablement vite, combien encore avant moi ? (p. 34)

Les phrases de Gilbert La Rocque, écrites avec une économie de moyens, sans fioritures ni effets de mode, coulent de source et nous tiennent en haleine. Son œuvre est celle de la lucidité totale et hallucinatoire, du refus de « faire semblant que tout va bien » (p. 80), du rejet des « jours creux et imbéciles » (p. 83) des badauds.

La vengeance obsède les personnages de La Rocque. Rédhibitoire, elle les empêche d'être libres, d'être heureux. Les vrais actes de violence sont plutôt rares. Pour Jérôme, et pour Bernard (du *Passager,* dernier roman de La Rocque), une obsession domine : en finir avec le mensonge et la comédie ; dans un cas, l'avarice d'un patron ; dans l'autre, l'incompétence d'un critique littéraire. Sur un plan plus universel, La Rocque cristallise ici, en les grossissant et en les amplifiant, nos propres violences et vengeances refoulées.

Pour ceux et celles qui ont connu personnellement Gilbert La Rocque, il est évident que *Le Nombril* renferme maints aspects autobiographiques. Le milieu de Jérôme ressemble à celui de l'enfance du romancier : usine Angus où travaillait le père de La Rocque. Jérôme, comme son créateur, aime la musique classique, les peintres impressionnistes, lit Gérard de Nerval. Il est « en marge » de la société, vivant dangereusement dans le monde des cauchemars. Autre ressemblance ultime et troublante : Jérôme souffre de maux de tête, de pressions céphaliques qui le tiraillent. Une espèce d'étau lui serre le cou ; une migraine reflue de sa tête, irradiant une douleur lancinante jusqu'aux yeux. Or, Gilbert La Rocque est mort d'une tumeur au cerveau. Les descriptions du mal de Jérôme décrivent en détail les souffrances réelles de l'auteur. En littérature québécoise, seuls Nelligan et Hubert Aquin ont rehaussé à un niveau aussi éloquent et tragique leurs propres souffrances physiques et morales, détruisant du même coup la barrière précaire entre fiction et réalité.

### La mémoire, source lumineuse

Captif de ses souvenirs olfactifs et tactiles, Jérôme, comme tous les personnages de Gilbert La Rocque, reconnaît la suprématie de la mémoire :

> ...on n'efface pas ce qu'on veut du temps qu'on a vécu,
> il s'est brisé anéanti derrière nous, sillage, oui, mais il en

reste tout de même quelque chose, la preuve qu'on a
été, cela indélébile et parfois même de plus en plus net
et vivant on dirait, et ce sont des jalons, quelques moments
importants de sa vie comme des axes autour desquels
gravitent les heures floues les heures presque oubliées les
heures mortes, mais points de repère quand même, qui
groupent et fixent avec un semblant de logique ou de
chronologie tous ces détails infimes tous ces instants abolis
qui nous ont bâtis peu à peu, se sont agglomérés et restent
jusqu'à la fin, soi... (p. 10-11)

Jérôme affirme que toute sa vie n'aurait été qu'un long monologue, « rumination de deux ou trois idées et de quelques
souvenirs » (p. 124). Le passé reflue, berce, procure à la vie
(et à l'œuvre littéraire) son rythme et son sens. De toutes les
images du passé, c'est sans doute celle de la maison de l'oncle
qui revient le plus souvent dans les romans de La Rocque.
Lorsque Jérôme (Gilbert ?) avait six ans, il est allé à la campagne
passer une semaine chez son oncle, à Saint-Siméon : la mer,
le fleuve, un ciel bleu immense, l'air frais, la maison toute
blanche avec des volets verts, le jardin rempli de fleurs, des
champs à perte de vue, une petite fille blonde du nom d'Isabelle avec qui Jérôme caressait les pivoines, les roses, les
gueules-de-loup...et puis, une année plus tard, c'est la noyade
d'Isabelle dans le fleuve, et la fin du rêve. Ce sont là autant
de moments fugitifs qui ne meurent pas dans l'esprit du narrateur, et qui se heurtent au désespoir vécu dans la ville, à l'as-
phyxie, à l'amour confectionné, à l'ennui.

Gilbert La Rocque semble nous suggérer que la tragédie
de la vie de Jérôme, comme celle d'ailleurs des citadins en
général, est d'être éloigné de la nature que seul le rêve arrive
à ressusciter. Le rêve, c'est « cet arbre hauteur vertigineuse...monter dans l'arbre...la tête tournant le feuillage là-
haut brillant rouge et or...grimper...grimper ».

Aux antipodes de Saint-Siméon, Montréal présente des
images destructrices et aliénantes. La ville signifie la mort. La
neige, sale et calcinée, tombe dru, dans la nuit du 24 novembre.
Le père de Jérôme vient de mourir (Gilbert La Rocque est

mort le 26 novembre 1984...) ; les rues immondes noient les passants dans l'énervement du quotidien. À la sortie des usines, la foule passe, « torrent fatigué ». Des odeurs nauséabondes infestent l'atmosphère, relents d'huile lourde, de tôle, de sueurs :

> ...la sueur s'accroche à tout le monde, inévitable, sévit même en plein air, je la hume et reconnais de loin, mais pas tout à fait la même que celle qu'on peut respirer dans les autobus du matin, non, sueur plus âcre, ...la sueur des autres ! à la longue ça doit monter comme un nuage au-dessus de la ville, je n'ose plus tendre la langue, comme autrefois, pour goûter l'eau de pluie.

Tout indique que c'est la vie urbaine qui est à l'origine du symbolisme négatif dans l'œuvre de La Rocque. À Montréal, les symboles rafraîchissants de la scène avunculaire font place à la fange, aux malheurs dans lesquels s'embourbent les personnages. L'eau pure de la maison de l'oncle se transforme en vase. « Humains jusqu'à la boue » (p. 117), jusqu'au pourrissement final, les individus créés par Gilbert La Rocque ne voient pas d'issue à leur malheur. Alors que dans l'enfance, de vastes champs et la mer à l'infini invitaient à l'épanouissement, le présent renferme, enchaîne, encercle.

Avant la parution de *Corridors,* le romancier était fasciné, emprisonné par la vision de labyrinthes, de corridors d'hôpitaux qui mènent à la mort, par la hantise du corridor obscur, humide, de la maison parentale, couloir avec des boiseries de chêne au vernis épais et reluisant, miroir de la pauvreté et de la misère urbaine.

La maison de l'oncle Léopold, la boue et les corridors ne sont pas les seuls symboles récurrents qui rythment *Le Nombril* : il y a aussi les masques. D'abord, le masque social, imposé par d'autres, ou adopté sans résistance, écran hypocrite. À la vue de son père mort sur un lit d'hôpital, Jérôme retient ses larmes, car les hommes ne doivent pas pleurer, du moins selon les conventions sociales : « Le temps du mensonge est venu, on a choisi son masque, l'un des masques à porter toute sa vie » (p. 14).

Les mots eux-mêmes sont des masques lorsque l'on s'en sert pour faire croire aux autres et à soi-même qu'on est libre, qu'on n'est pas esclave des contraintes du quotidien. L'œuvre de La Rocque est une des rares œuvres métaphysiques de la littérature québécoise. Sartrien à plus d'un point de vue, La Rocque élabore une philosophie de la lucidité : « Je pars, je fais ceci, cela, je vis comme je le veux…pas si facile, prisonnier de soi, c'est ça la vérité, pas libre d'être libre » (p. 69).

Les masques représentent aussi l'impossible rencontre entre les êtres :

> …c'est terrible de se rendre compte que l'on ne connaît pas les autres, on s'imagine souvent qu'on lit en eux alors qu'on ne sait voir que leur écorce, rien que le masque qu'ils veulent bien montrer, rien d'autre, alors le moyen de connaître ce qui se passe à l'intérieur ? intuition ? psychologie ? ouais ! mais il faudrait d'abord que les autres nous intéressent…je ne connais pas Nathalie, c'est une étrangère pour moi, je vis avec des étrangers, ma mère et mon frère me sont inconnus, je ne saurai jamais ce qu'ils sont réellement, leurs pensées que j'ignore ! à un certain niveau les gens sont imperméables, ils ont une profondeur inatteignable où se cache le grand mystère de ce qu'ils sentent… (p. 85)

Le pire masque est celui de l'apathie, de l'insouciance, du « sommeil vingt-quatre heures par jour » (p. 80) des gens qui font semblant d'être heureux, vie facile de ceux qui ne s'interrogent pas. La mode, l'habillement, le costume, le maquillage, ce sont autant de masques derrières lesquels se réfugient les gens. Toutes les jeunes filles « aux yeux de mascara et de rimmel » écœurent Jérôme, tout comme les vieux aux atroces masques de fard qui essaient de dissimuler la dégradation de leurs corps.

L'écriture, l'anti-masque par excellence, serait une entreprise pour démasquer la réalité. La « rédemption par l'art », Gilbert La Rocque semble y croire, ou du moins y trouver refuge : « sculpter ou peindre ou faire de la musique, écrire, pondre des poèmes, des contes des romans, des essais, toute la gamme, c'est ça qu'il m'aurait fallu, m'exprimer » (p. 120). Nommer la réalité, c'est la dépasser un peu, grâce à l'effet libérateur des mots. Pour l'auteur du *Nombril,* les « magies du langage et l'expression de soi », constituaient la seule façon de ne pas rater sa vie.

## Images de putréfaction

Dès les premières pages du *Nombril,* ce sont des images de pourriture et de décomposition qui dominent. Des cicatrices dégoûtantes marquent les visages. Des cernes violets entourent les yeux ; la peau est ratatinée, jaune et terreuse. L'auteur, tel un médecin habitué à côtoyer la mort, semble porter en lui le « parasite de la mort qui lui dévore et déchire toutes ses pensées » (p. 48). Ce n'est pas pour rien que le roman s'ouvre et se ferme sur l'épisode de la mort du père.

Le « nombril » symbolise la mort qui nous traque, dès la coupure du cordon ombilical. Le nombril est lié aux abîmes, aux trous qui aspirent Jérôme — « yeux-trous, joues-trous, trous, rien que des trous, tête de mort, squelette ma mère » (p. 126) — et dont la représentation la plus obsédante est la cuvette, l'acte de chier étant le dernier spasme que nous subissons après notre dernier souffle. Dans le cauchemar larocquien, tous les êtres humains sont mort-nés :

> ...naître ! pauvre animal en sang avec des yeux perdus, qui sort de sa mère et vite s'écroule sur ses pattes d'araignée, à peu près mort-né dans le matin trop clair — ou s'il a le malheur de survivre les autres l'achèveront ils sont là qui attendent piaffant et salivant et glapissant et claquant d'énormes mâchoires rouges vous dépecer entre leurs crocs aigus... (p. 63)

Le romancier voit l'ombre de la mort là où l'on s'y attend le moins. Pour Jérôme, par exemple, le Mexique n'évoque pas la civilisation des Aztèques ni les plages d'Acapulco, mais d'horribles rites lugubres, « flûtes et tambours, roulement et trilles pour le sacrifice humain, une poitrine d'homme ouverte dans un immense cri de la foule qui s'écrase de toutes ses couleurs de fête sur les degrés de la pyramide du dieu, le grand prêtre incisait d'un seul coup le thorax offert, du sang sur le couteau d'obsidienne, du sang qui gicle sur les mains du prêtre, le cœur arraché palpitant encore... »

L'œuvre de La Rocque est difficile puisque dense et implicite. Le lecteur se pose toutes sortes de questions. Pourquoi tant de violence ? Parce que la cruauté existe, sans doute, mais aussi parce que La Rocque était guidé par une force intérieure destructrice qui guetterait, à des degrés différents, tout être humain. Dans la vie, il y a des colères verbales et réprimées, conscientes et inconscientes. Gilbert La Rocque, écrivain, actualise ses rages subliminales, réprimées.

*Le Nombril* est parcouru d'images de décomposition, incarnation de l'absurdité de la mort. Tout suinte la finalité : l'asphalte picoré par l'érosion du temps ; le ciel noir, livide, lourd, suppurant ; les nuages gris ; le soleil aveuglant, le vent fort et « aigre », la poussière, la rouille, la crasse, les couleurs délavées. Tout est délabré, crevassé, « lépreux » ; tout s'écaille, se fendille, s'égratigne et se dégrade. Écœuré par cette fixation aux choses qui meurent et qui s'effritent, Jérôme joue avec le suicide — sortir la carabine, la charger, la poser contre son front, entre les deux yeux, tripoter la détente, tous nerfs tendus, sentir sa mort au bout de son doigt — mais ne s'y abandonne pas. La vie ne vaut par cher, mais elle est néanmoins tout ce que nous possédons. Et puis il y a toujours ces moments privilégiés où Jérôme se laisser aller à son imagination, où il fantasme et revoit la maison de l'oncle Léopold. La mort est peut-être une tumeur qui nous ronge, mais, en attendant, il y a la vie : « mourir, mourir !...pas moyen d'y échapper, il vient toujours un moment dans la vie, où l'on comprend qu'on va mourir un jour, première fois qu'on y pense en y croyant vraiment, étonné de se sentir vivre en sachant qu'on est condamné, idée qui ne lâche pas son homme, qui se développe et se gonfle dans la tête comme une tumeur, à tout moment on se souvient qu'il faudra mourir, et alors on finit par vivre pour ne pas rater sa mort » (p. 111).

Tout comme Jacques Ferron, qui a beaucoup écrit sur la signification de la mort, Gilbert La Rocque conclut que, paradoxalement, c'est la mort qui donne un sens à la vie. Avant de mourir, il faut pouvoir dire qu'on a créé quelque chose : de l'amour...imparfait, temporaire, mais néanmoins réel, conservé par le souvenir ; de l'art...imparfait, éternel, recréé chaque fois pas quelqu'un s'y plonge et le réactive.

Gilbert La Rocque n'est pas un écrivain à thèse. Pour lui, ce sont les représentations imagées et symboliques qui priment, et non un quelconque message. Comme au cinéma, des flashes nous entraînent dans des territoires inconnus ; ici, un monde tragique dominé par des images d'écœurement, d'effritement, de mort imminente. Toutefois, malgré la noirceur de l'univers, les remous intérieurs, la musique des phrases et la puissance d'envoûtement des mots accomplissent l'impossible : l'euphorie se joint à l'angoisse :

> ...il avait senti tourner dans sa tête un monstrueux remous, l'incommensurable appel du vide, et il avait compris avec un frisson d'horreur que rien, absolument rien ne l'empêchait véritablement de se précipiter tête première dans cet irréparable qui le fascinait...cette angoisse cette euphorie oui cette ivresse à la fois plaisir et nausée qui montaient en lui (p. 31)

Ainsi les grands créateurs dépassent-ils l'angoisse par leurs images, par leurs façons toutes sensorielles de reproduire la réalité.

Dans *Le Nombril*, les perceptions olfactives évoquent l'inévitable pourrissement de l'univers. Même l'amour est diminué par l'acuité de la perception sensorielle de l'auteur, par le dégoût buccal, tout étant putréfaction dans la vision fataliste de Gilbert La Rocque : « corps en chaleurs qui garde tout son poil, tout, poil aux aisselles comme pas une, tapons épais là-dedans des touffes complètes, poil aux jambes, poil au nez, poilue ! et puante comme rien au monde, odeurs marines tous les poissons sont morts et pourris au soleil c'est épouvantable ! tout simplement que la salope ne lave jamais son oursin, son truc pipi, quelque chose à sentir ! moi je suis sensible aux odeurs, d'une finesse nasale !...épouvantable, ça se met à pourrir lentement, dans la bouche et entre les jambes...abomination de relents tièdes qui graissent le dedans des narines, toutes les pires odeurs des pires fromages du monde, fermentation de vieilles boîtes de sardines jamais mangées...décomposition des corps » (p. 29, p. 92).

À l'instar des surréalistes, Gilbert La Rocque conçoit des bêtes qui incarnent différents aspects de la condition humaine. « Un jour Jérôme trouva derrière l'église un rat crevé avec les intestins tout sortis entre les pattes de derrière et il prit le rat par la queue et il l'éleva le tint tout contre son visage pourquoi ? » (p. 27). La réponse nous est finalement donnée à l'avant-dernière page. Le rat, animal de la pourriture humaine, rappelle, par son ventre éclaté, atroce, la mort putride qui nous attend tous. Soumis à « cette douleur innommable de vaguement pressentir qu'on pourrait bien arriver mort-né au monde des adultes », Jérôme sera poursuivi pour toujours par les mammifères rongeurs, par le soleil et par l'asphalte brûlant, images, sons et odeurs qui s'étaient accumulés en lui et qui émergent du creux de sa mémoire. Ce sera ainsi pour les poissons au ventre crevé, gluant, se gonflant en l'air, se décomposant. Jérôme n'arrive pas à se vider de tous ces « cadavres », de ces « noyés » couchés sur l'eau noire, « faces » de varechs, « bouches » d'huîtres fourmillant de mouches vertes et bleues, « banquet » de chairs en lambeaux, gros insectes aveugles, « rouages vivants » de la termitière géante, Montréal.

Les chiens dans l'œuvre de La Rocque sont à l'image des vieillards décrépits et malades qui habitent dans les quartiers pauvres. Tel personnage marche de biais comme un chien estropié ; tel autre tient en laisse un chien pisseux qui lève la patte à tous les trois pas.

Les yeux apeurés du patron insensible de Jérôme sont comparés aux yeux d'un veau, rappel d'une scène vécue dans l'enfance, moment terrible de violence faite à une bête, et par association, à un être humain (Jérôme vient d'assener un formidable coup de poing à son patron) : « ...les yeux de ce veau vu le jour qu'on m'avait amené visiter l'abattoir oui les grands yeux un peu exorbités de ce veau » (p. 41).

De tous les animaux évoqués dans l'œuvre de La Rocque, ce sont les oiseaux qui jouent le rôle le plus ambigu et le plus fascinant. Dans chaque roman apparaît une singulière obsession ornithologique. Pour évoquer la laideur de la ville, les pigeons : «...ça chie partout ! les fientes ! épouvantable le guano grisâtre violacé noir de ces bestioles, les empoisonner oui il faudrait les empoisonner, oiseaux sans grâce obèses, et pourtant j'aime les oiseaux, mais les vrais, ceux qui sont sveltes effilés, pas tout en bedaine » (p. 22).

Dans la fable larocquienne, animaux et plantes s'associent à l'humanité, reflétant la profonde hideur qui sous-tend la vie et que nous préférons ne pas voir. Et pourtant, Jérôme veut aimer la vie. Il adore les oiseaux, tout comme Gilbert La Rocque qui était profondément attaché à sa perruche, Roméo. Mais Jérôme éprouve l'étrange désir d'étrangler les oiseaux, même les plus beaux et fragiles, comme s'il voulait broyer son bonheur. Se promenant avec Nathalie, tourmenté par l'idée que l'amour ne dure pas, il est tenté d'écraser la main de son amie, telle une aile cassée, sa « main papillon dans ma main, un rien de pression suffirait à écraser les ailes roses » (p. 68).

Dans *Le Nombril,* les ressources de l'imaginaire sont mobilisées pour traduire nos pulsions intérieures, nos abîmes. Les romans de La Rocque constituent une somme fascinante de nos hantises enfouies : désirs sexuels refoulés ; la mort qui nous attend, la dégradation, la putréfaction, l'avilissement des êtres et des choses. À la ferveur de cette lecture, ce sont nos propres remous intérieurs qui nous sont révélés.

* * *

# Le rêve de *Corridors*

1968. Gilbert La Rocque est en train d'écrire son deuxième roman. Ce sera une œuvre considérablement différente des autres, aussi réaliste que suggestive, aussi « extérieure » qu'« intérieure ». D'une certaine façon, *Corridors* sera donc le roman le plus accessible de La Rocque, le plus « heureux » aussi (un décor nettement moins hostile que dans *Le Nombril*), l'auteur ayant été sans doute influencé par le vent d'optimisme qui balayait le Québec des années soixante. Deux actions et deux durées se juxtaposent : les tribulations d'un jeune révolutionnaire québécois ; son enfance lointaine, devenue proche par le truchement de la mémoire.

Clément, vingt-trois ans, se joint à une cellule du F.L.Q. Ce n'est pourtant pas un vrai terroriste. Comme Jérôme (du *Nombril*), il est écœuré par la violence, par les horreurs guerrières, par les éclaboussements de sang chaud — « ignoble malaxage de chairs éclatées brûlées » — par le « cauchemar rouge » de l'humanité. Un peu comme le narrateur de *Prochain Épisode,* Clément fuit les occasions où il faut infliger des supplices à l'ennemi.

*Corridors,* sans conteste un des meilleurs romans issus de la crise du F.L.Q., est découpé comme des plans de cinéma. Le romancier décrit dans les détails la lumière qui éclaire ses « acteurs » et ses « décors », les zones d'ombre des lampadaires. Tout est « comédie », « scène », « spectacle », entrecoupés, bien sûr, d'hallucinations et de retours en arrière.

Roman d'action qui n'accorde aucun répit au lecteur, le deuxième livre de Gilbert La Rocque est agrémenté de dialogues naturels, convaincants, grâce à un style savoureux, très parlé en apparence, très écrit dans le fond. Une des richesses de l'œuvre de La Rocque est justement cette aptitude à changer d'optique, à passer, dans une même phrase, d'une description réaliste à la troisième personne au monologue intérieur. L'auteur se met aisément à la place d'une jeune fille de sept ans, d'une mère de cinquante ans, ou d'un adolescent. Par endroits, *Corridors* fait penser à un roman de Michel Tremblay, par le sens inné des dialogues, et par la capacité de se mettre à la place des femmes.

Dans le cadre de cette analyse des images intérieures et des symboles, *Corridors* est intéressant à plus d'un point de vue. Derrière la structure du roman d'action grouille tout un univers typiquement larocquien : en arrière-plan, le même type de narrateur ballotté par des visions flottant à la surface de ses pensées, livré à « ce qui palpite au niveau des images, des sensations et des impulsions » (p. 59), emballé par les mots « qui sont souvent des drogues » (p. 103). Nous retrouvons la même ambiance...quartiers ouvriers de Montréal ; univers vétuste, lézardé ; climat insupportable (dans *Le Nombril,* un hiver sibérien ; dans *Corridors,* un été torride, étouffant), pluie fine et pénétrante, pâleurs maladives, buées blafardes, gaz et vapeurs asphyxiants, poussière violette; famille canadienne-française fidèle aux schémas de Gabrielle Roy (dans *Bonheur d'occasion*) ou de Michel Tremblay.*

Clément, comme Jérôme, comme La Rocque lui-même (dont la sœur est mort-née), est tracassé par l'image récurrente

---

* « J'ai connu le milieu de *Corridors* à Rosemont...les gens poignés dans leur existence de fourmis, sans argent, sans auto ni rien, obligés de demeurer pas trop loin de la dévoreuse usine Angus. Mes personnages sont, dans une large mesure, la projection de cette espèce de mémoire que j'ai d'un certain passé que le souvenir rend presque mythique. Ce sont aussi des morceaux de moi. Le moyen de faire autrement ? Chaque être est un univers, un microcosme : la matière est là ; il ne s'agit que de puiser. » (Gilbert La Rocque, entrevue avec moi-même, dans *L'Écrivain devant son œuvre*)

d'un traumatisme évoqué par le souvenir d'une mort qui remonte à l'enfance. Dans le cas de Clément, il s'agit d'un jeune frère faible d'esprit. Une telle mort précoce annonce-t-elle (mais comment est-ce possible ?) la mort prématurée de l'auteur lui-même ? À l'âge de huit ans, Clément avait une familiarité troublante avec la mort, une « impression confuse » de s'y être préparé (p. 91). Pour lui, la mort, « si on y pense bien, n'est pas plus révoltante que la naissance, la maladie, la misère ou le vieillissement du corps et de l'âme, mais seulement inquiétante et absurde ». Gilbert La Rocque parlait-il de lui-même en déplorant l'existence de « vies interrompues d'hommes qui doivent mourir » avant leur temps ? Les sceptiques diront que poser une telle question relève de la pure spéculation. Pourtant, pour ceux et celles qui ont connu Gilbert La Rocque, force est de constater que Clément et Gilbert sont du même moule, qu'ils possédaient tous les deux la faculté de pressentir les secrets intimes de leur être.

Même si les thèmes de la violence, de la mort, et de la difficulté d'aimer constituent le ressort principal de *Corridors* vu comme un roman d'action, ils ne représentent que l'aspect extérieur de l'œuvre. L'auteur est conscient de leur banalité : « ...la violence, la pourriture, la mort, ces vieux thèmes rabâchés et usés depuis des siècles dans tous les livres du monde. » (p. 208). Heureusement, La Rocque arrive à leur inculquer une réalité toute personnelle, « comme dans un cauchemar matérialisé » où il se sentait étouffer. C'est cet aspect cauchemardesque, placé sous les signes de l'outrance et de la démesure, qui procure à *Corridors* son ton original.

## Paysages du Bas-du-fleuve

L'existence des personnages est contrôlée par les reflets de leur « miroir intérieur » (p. 144). Clément parle des « pages de sa vie ». Pour lui, l'existence se déroule comme un roman où s'entremêlent, en se heurtant, les « parcelles » de ses souvenirs et les lourdes nécessités du quotidien. Clément vit « une sorte de rêve éveillé » (p. 191) dont *Corridors* est une épure.

Chez La Rocque, la majorité des remous du subconscient sont traumatisants. Toutefois, une douce image de l'enfance surnage toujours. Dans le Bas-du-fleuve, Clément déboulait les côtes comme un lièvre. Ça sentait les bleuets, les fleurs, le foin et l'eau salée. L'air était « épais comme de la crème, c'est comme si on en mangeait, tout est jaune et bleu, on court, on a du foin jusqu'au ventre, on passe entre de hautes touffes de fleurs bleues, on court à travers les grands foins jaunes et les touffes de fleurs bleues...là-bas le fleuve saute avec nous » (p. 71).

Dans le présent, dans la ville, la nausée et la déprime s'installent. Tout est boue et dédales inextricables. Et pourtant, grâce à l'enfance, Clément arrive quand même à respirer. Les paysages de l'enfance remontent à la surface, flous mais persistants :

> Et il ne reste dans la mémoire qu'un trou, où sont brassées de vagues images de feuilles rouges et jaunes qui finissent par tomber en tournoyant, puis de poudreries comme des spectres dépliés jusqu'au ciel, puis des deux cerisiers refleuris dans la cour, l'eau qui cascade dans la côte...le fleuve ressuscité qui se regonfle et respire à fond...et les goélettes qui reprennent la mer... (p. 98)

Le pouvoir d'envoûtement de ces paysages est tel qu'il fait irruption chaque fois que Clément ressent les beautés éphémères de l'amour. Lorsqu'il danse avec Céline pour la première fois, les odeurs et les couleurs de paysages anciens interviennent, formant une osmose parfaite, quoique ténue, avec le corps de la femme. Céline est originaire de Sorel. Or, « il y a longtemps déjà, c'était il y a des siècles ou c'était hier mais cela s'était figé en un point inaccessible » (p. 33), le père de Clément avait emmené la famille se promener dans les îles de Sorel. Clément ne pourra jamais distinguer Céline de Sorel...« c'était bien l'odeur de Sorel, son odeur, sa chair et sa voix, et elle me disait des choses que je n'écoutais pas, elle me parlait avec sa voix des îles, et je la serrai davantage contre moi, et je me disais *Sorel* comme pour ne pas penser *je t'aime*, et je revoyais les grands oiseaux que mon père nous avait amenés voir s'envoler...et j'avais ma bouche dans son cou, et je respirais son odeur qui ressemblait à ce matin des grands oiseaux libres, et peut-être à bien des matins anciens où d'autres oiseaux avaient passé par chez nous, au-dessus du fleuve, et la musique tournait autour de nous comme un petit vent de par là-bas... » (p. 213).

L'œuvre de Gilbert La Rocque est loin d'être totalement noire. L'enfance subjugue, conjure des images vivifiantes. Un peu comme Proust, l'auteur de *Corridors* égrène ses souvenirs, se livrant à des frémissements d'émotion contenue provoqués par une scène du passé, traçant éloquemment la géographie du rêve, investissant la mémoire d'images colorées.

## Putréfaction

Même si *Corridors* est le moins tragique des romans de Gilbert La Rocque, il n'en demeure pas moins empreint de la même atmosphère de putréfaction si évidente dans les autres volets de l'œuvre : fonds de cours sombres, maisons brûlées, émiettées ; clous rouillés, rampes de balcon déchiquetées, fenêtres crevées ; odeurs de moisi. La maison abandonnée où Clément libère le délateur Van Den ressemble étrangement à celle où Jérôme (*Le Nombril*) faisait l'amour avec Nathalie. La Rocque s'inspire des mêmes visions, des mêmes cauchemars servant de décors à ses romans.

Si, dans *Corridors,* la pourriture du monde extérieur reflète l'absurdité de la violence révolutionnaire, la pourriture intérieure est le signe de la destruction de la qualité de la vie. Les personnages secondaires se retournent dans leur lit, les poumons gommés des goudrons atmosphériques, « la gueule fétide, mâchonnant dans un demi-sommeil une salive épaisse comme de l'écume de cheval, la gueule creuse et les babines ballantes parce que les dentiers sont restés sur le coin de l'amoire...c'est l'heure où ça pue, ça sent les bas raidis jetés dans un coin, ça sent les organes malpropres, les sous-ventres gluants comme des nœuds de vers de terre dans la chaleur moite du lit ; et ils s'éloignent de la ville pourrissante qui se gonfle derrière eux, comme un gigantesque abcès qui commence à suppurer... » (p. 115). Grugés en dedans par la ville polluante, les ouvriers dépérissent. La « diarrhée du printemps » du père de Clément provient du stress, de la condition (du masque) de père-pourvoyeur. Les hangars de la ville sont éventrés. Le pays est malade : la plaie que la Province avait au ventre depuis deux cents ans, cette plaie nourrie par « l'inaction ou la faiblesse — ou surtout l'incompétence et la lâcheté des gouvernements — » s'envenime et suppure. Clément a des haut-le-cœur ; l'angoisse lui monte du ventre (comme Jérôme, d'ailleurs) ; il a l'abdomen toujours serré. Comme les poissons au ventre crevé du *Nombril,* les ventres ouverts de victimes d'accidents, et les cris monstrueux de femmes lacérées, éventrées par des terroristes du Moyen-Orient, illustrent de façon horrible la sauvagerie de l'homme.

L'amour, que Clément voudrait tant faire durer, écœure autant qu'il fait exulter :

> ...il sentait sa langue à elle qui venait lui lécher les lèvres et les dents, et il lui suçait le dedans de la bouche comme s'il avait pompé à plein dans une plaie vive pour en extraire un pus mortel, et il se sentait gonflé d'une puissance ou d'une fièvre qui faisait goutter la sueur sous ses aisselles...
> (p. 34)

Horrifié par les microbes (rappel du pourrissement final) qui s'immiscent dans nos corps, La Rocque craint les « tréponèmes pâles » (agents pathogènes de la syphillis) et les « vagins à bactéries » (p. 205).

Même l'enfance, pourtant source d'images berceuses, présente de lancinants épisodes de putréfaction, comme l'accident, alors que Clément n'avait que sept ans, qui a fait trois morts « couchés dans leur sang, puant déjà parce qu'il faisait un soleil d'enfer » (p. 89). Malgré toute cette hideur, survient pour Clément « cette vomissure noire que répand l'instinct de conservation » (p. 108). Nous pourrirons, mais en attendant, nous vivrons. Voilà les deux vérités qui alimentaient les images de putréfaction dans *Corridors*.

## Corridors et masques

Dans les deux premiers romans de Gilbert La Rocque, le corridor de la maison parentale constitue le noyau labyrinthique auquel se joignent, d'une façon ou d'une autre, tous les autres labyrinthes. La vie se présente donc comme un long et tortueux dédale s'étendant des premiers souvenirs jusqu'aux réalités présentes. Rues, ruelles, passages, couloirs, chemins, tout ce qui est passage se rattache aux corridors de la mémoire, à la « fuite éperdue dans le corridor sans retour du temps ». Clément n'est rien de plus qu'un être « avançant, non pas loin de son passé, mais en quelque sorte à travers lui, ou avec lui et ce qu'il en reste pour continuer d'assumer son identité et son destin ; un être qui n'a plus vraiment besoin de se rappeler le passé pour le regretter, sachant bien que, somme toute, c'est toujours son passé qui se souvient de lui. » (p. 145)

Personne n'échappe au cercle vicieux des souvenirs. « C'est la mémoire qui soude les choses à sa façon » (p. 97), vérité larocquienne par excellence. Les saisons de la vie s'alignent, entre les corridors d'événements cruciaux. À cause de la mémoire, rien n'est prévisible. Impossible de vivre dans la réalité immédiate. Clément, regardant ses camarades qui torturent Van Den, ne peut isoler cette scène d'autres moments vécus. Il revoit, bien malgré lui, son frère Rosaire malmené par des enfants espiègles. Ce n'est pas Van Den devant lui ; ce sont tous les torturés du monde. Le « dédale des motivations profondes et des impulsions » dicte notre conduite. Question de liberté, bien sûr ! Comment peut-on se dire libre lorsque les souvenirs nous contrôlent de cette façon ?

Les personnages de La Rocque sont étreints par l'angoisse des tournants brusques de leur vie, par la conscience que vers la fin du neuvième mois de leur « préexistence », ils se préparaient « à descendre dans l'inévitable couloir de l'uté-

rus, à jaillir et à souffrir... » (p. 11) Mais Clément sort-il vraiment du corridor originel ? La pénombre des corridors de la
vie adulte sont comme un gigantesque utérus gluant qui
« aspire, pompe, et s'ouvre à rebours sur quelque chose comme
un ventre » où le personnage se dissout et recommence « la
nage aveugle » d'une existence de « têtard » (p. 95). Les
personnages de La Rocque ont tous peur du vagin, « corridor »
qui symbolise l'impossibilité de vivre libéré de ses souvenirs,
de son hérédité.

Gilbert La Rocque ne supporte pas l'hypocrisie ni le
masque. Ses romans nous entraînent dans un univers fantastique, celui du labyrinthe de l'identité, qui se joue aux confins
du réel et du rêve. Les personnages de La Rocque sont à la
recherche de la vraie nature des gens, de leur personnalité
profonde. Clément détaille les felquistes : « Rien, sur la figure
durcie de Jean-Louis, n'a bougé. À peine ses lèvres bleuâtres
(lumière crue du lampadaire de la rue) se sont décollées l'une
de l'autre : comme s'il avait parlé de derrière un masque. »
(p. 57) *Corridors* dévoile les « masques de pierre » des terroristes sectaires, étroits d'esprit et naïfs.

Le père de Clément, être violent, replié sur lui-même,
incarne une autre sorte de masque, celui de l'homme apparemment fort, qui ose montrer ses doutes, ses faiblesses :

> ...il avait fini par jeter le masque qu'il s'était, à la longue,
> retourné comme un vieux gant ; il nous montrait, malgré
> lui — à son insu —, sa doublure usée et percée. C'est-
> à-dire qu'il apparaissait, maintenant, après des années et
> des années de comédie, comme un être faible démuni,
> solitaire et vide. Même sa violence s'était, pour ainsi dire,
> résorbée...(p. 102)

Les masques-refuge ne sont pas les seuls à tomber chez
La Rocque ; ceux de l'espoir dans l'au-delà s'émiettent eux
aussi...« la peur vous fait regarder la mort comme une impossibilité : la peur au masque d'espoir. Et il suffit d'un rien pour
que le masque tombe. Alors, la peur qui vous protégeait et
vous bandait les yeux, se transforme en un visage de cauche-

mar. C'est l'horreur ; le vent impitoyable de l'instinct de conservation se lève, balaie, arrache, vous êtes emporté, vous ne comprenez plus, vous ne savez plus rien : rien que l'épouvantable réalité qui vous menace et qui d'avance vous tue. » (p. 117) Sans foi, sans béquille, Clément est en proie aux terribles images de la destruction finale de son corps et de son âme.

## Bestiaire

Le regard de Gilbert La Rocque transforme le monde en un immense champ de bataille où des animaux lugubres se dévorent, où des plantes vivaces germent, envahissent et engloutissent. Les personnages sont soudés à la terre comme des plantes de chair, comme des champignons écrasés par les passants. La télévision offre le spectacle des assassinés d'Asie et d'Afrique, montre « ce fauve qui dort en nous — il y a longtemps que le cochon ne dort plus —, cette bête à gueule de requin, cet animal innommable qui réclame son dû de carnages et de sang...Clément s'aperçoit qu'il pense aux bouchers de My Ly, à tous les Oradour du monde. » (p. 39)

Un enfant méchant prend la forme d'un cochon ; le petit Rosaire renversé par une voiture ressemble à un grand chien jaune (nous mourrons comme les animaux ; nos corps s'aplatiront de la même façon) ; un père cruel, transformé en requin, jette dans les latrines le poisson rouge de son enfant — « C'est facile de faire le méchant avec un petit poisson et une petite fille ». C'est du pareil au même.

Dans l'univers larocquien, on fait l'amour comme des animaux, plongés « dans la frénésie des mystérieuses saturnales — parfum qui fait se dilater en vous les aveuglantes euphories des ancêtres à dents de loup, et qui finirait par vous faire hurler et baver comme un chien en chaleurs » (p. 189). Les personnages cèdent au « vertige de l'animalité ».

Les insectes font également partie des images intérieures de *Corridors*. Le néon du Pan Club vrombit comme une aile de mouche, vrille dans la nuit, crée l'ambiance d'irréel, vibre d'une note grêle et chevrotante « comme une cigale égarée en hiver » (p. 187). Les lumières des gratte-ciel, tels des vers luisants de plastique coloré et d'électricité, bourdonnent et incommodent. Clément imagine les gros insectes qui rampent dans la mousse humide des matelas de la ville, bestioles répugnantes, blêmes, grasses et rapides. Les insectes évoquent l'approche de la mort. Blessé grièvement, Clément voit danser devant ses yeux un essaim de mouches vrombissant, tournant autour de viandes pantelantes, « mouches rouges pour son cadavre, du vin pour les mouches, s'abattent lèchent sucent bavent abominable, NON ! » (p. 120)

Pour Gilbert La Rocque, qui avait horreur de la médiocrité, de l'anonymat, la foule incarne l'uniformité la plus désespérante. Dans la rue Sainte-Catherine, les gens convergent, comme des fourmis, vers l'ouest, s'agglutinant, se soudant, comme une seule chair, « les pauvres et les écrasés descendant de leurs mansardes, débouchant comme des colonnes de fourmis des quartiers oubliés, des taudis à coquerelles, des ghettos à rats, émergeant des caves, brandissant comme un étendard leur ignorance et leurs humiliations, poussés comme par un grand hoquet remonté du fond de l'histoire, il les voyait, les exploités des usines concentrationnaires et des bureaux fétides, les serfs qui veulent devenir les maîtres, massés comme un seul corps colossal, avançant comme une couleuvre pour manger les mouches... » (p. 17).

Les insectes jouent aussi un rôle dans la caricature sociale mise en place par le romancier. Les drogués et les loques humaines, révolutionnaires de salon, se dispersent « comme ces petites bêtes plates et grisâtres qui se dispersent nonchalamment quand on soulève la pierre sous laquelle elles vivaient à l'abri de la lumière » (p. 204). Morneau, esprit obtus au profil d'insecte est un lâche, un mou, un « gros insecte empoisonné, traversé de pensées qui lui font mal, qui « vont trop vite dans son cerveau déshabitué à penser ». (p. 77)

## Liquides et boue

Comme tous les personnages de La Rocque, Clément
« rame dans ses souvenirs ». Des lambeaux de phrases clefs,
des voix, des visages et des parfums remontent de son passé
« comme un cadavre du fond d'un puits » (p. 142). L'homme
et la femme passent leur temps à « ressusciter les noyés » du
passé. Perdus dans un « rêve brumeux », ils descendent dans
le puits sans fond de la mémoire. Pour certains, le rêve n'offre
aucun répit aux douleurs du quotidien. C'est le cas des femmes
sclérosées par le mariage et qui ne laissent derrière elles qu'une
espèce « de long fossé méandreux, telle une rivière tarie à sa
source, un immense trou rouge qui s'étend des premières
menstruations jusqu'à la ménopause. » (p. 77)

L'eau vaseuse et la boue sont le lieu de la stagnation.
Frôlant la mort, couché par terre, Clément rampe dans la boue
comme un mollusque, râlant sur le ventre gluant de la terre.
Parfois, La Rocque confère à la boue des significations inat-
tendues. Se déverser dans une femme qu'on n'aime pas, puis
la regarder après, c'est découvrir « une boue pantelante étalée
là sur le ventre dénudé, une vase clapotante frémissante, une
glaise de jouissance, une forme anéantie... » (p. 35). Des flashes
de la mémoire — apercevoir des chemins de boue, s'imaginer
ventre à ventre avec la boue — parsèment, telles des foudres
de souffrance ultime, menaçante, le tissu narratif d'un roman
où s'engouffre une poésie violente de l'anéantissement.

# Après la boue
## Le cauchemar d'une femme

Même si le troisième roman de Gilbert La Rocque n'est pas centré, comme *Corridors,* sur une crise politique et sociale, il s'agit néanmoins d'un drame, celui d'une femme mal mariée. Roman d'action donc, où l'auteur se met dans la tête de plusieurs femmes. Pourquoi une deuxième œuvre d'affilée axée sur une histoire à raconter ? Sans doute parce que l'auteur a été enthousiasmé par l'idée de se mettre à la place d'une femme, et de la faire parler. Bien sûr, nous restons dans l'univers larocquien : l'œuvre globale, inspirée des remous du subconscient et des « pensées qui dérapent », se poursuit dans son volet féminin. Les mêmes personnages reviennent (entre autres, Nathalie, l'amie de Jérôme, ainsi que son père brutal) ; la même atmosphère de noirceur, d'effritement et d'enlisement se fait sentir. *Après la boue* nous promène dans des corridors familiaux connus où le papier peint se décolle « comme une peau de cadavre avancé », et où le passé tourbillonne dans les canaux aqueux de la mémoire.

Comme chez la majorité des grands écrivains, les mêmes structures de base sont reprises d'œuvre en œuvre. Gabrielle ne veut pas devenir comme les adultes malheureux et décrépits qui l'entourent. Elle fait tout pour se libérer du joug du passé collectif...steak haché, pâté chinois et « poudigne chômeur ». Le « faubourg à Mlasse » (Rosemont) s'accroche aux gens. N'oublie pas qui veut les néons qui « glacent l'âme », les cours crasseuses resserrées entre des murs de brique écaillée, les hangars de tôle rouillée, les fenêtres noires avec des rideaux de coton avachis, les « cordes à linge sur tout cela comme une immense toile d'araignée » (p. 105). Êtres et choses sont marqués indélébilement du poids de la souffrance. Déchirés intérieurement, les personnages voient partout les reflets de leur propre désarroi, les égratignures sur les objets ressemblant étrangement à des cicatrices. On respire mal dans ces « jours de métal fondu », l'avenue et l'asphalte cuisant tout ce qui bouge. Comme toujours chez La Rocque, les voitures, les autobus, tout moyen de transport, en fait, rappellent que les hommes et les femmes sont des passagers à bord d'eux-mêmes, entreprenant un voyage au bout de la nuit, dans l'enfer urbain :

> On roulait depuis quelques minutes dans l'enfer du centre-ville, rue Dorchester, ça se traînait carcasses de tôle dans les gaz asphyxiants de la nécropole, une vapeur bleutée flottait sur toute chose, nimbait le faîte des grands immeubles, leur donnant l'air irréel de mirages, colossales termitières, monstrueuse Babylone masquant inhumaine l'affreux ciel brouillé...(p. 44)

Les romans de Gilbert La Rocque sont autant d'exorcismes d'une certaine condition canadienne-française : « odeurs noires » de l'enfance...« malgré les années ici tout est pareil le temps coule au compte-gouttes chez les pauvres » (p. 84) ; mère soumise, père aveugle, amorphe, victime d'un accident de travail (la cécité étant ici le symbole extrême — mais ne le sont-ils pas tous, chez La Rocque ? — de la lâcheté et de l'ab-négation d'hommes qui n'osent pas sortir de leur crasse). *Après la boue* constitue une satire impitoyable de la vieille société patriarcale du Québec. Les « cauchemars abîmes » de Gabrielle sont, sur le plan du grossissement stylistique, ceux de toute une génération de Québécoises renouant avec des phantasmes collectifs, « se dissolvant se perdant dérivant à la nuit des mythes » (p. 149). Prisonnière d'un rêve perpétuel, Gabrielle ne sait plus où se trouve la vie, « la vraie vie, abolie la frontière entre le réel et l'illusion, un phantasme chassant l'autre, toujours vivre aux confins des apparences et s'engloutir irrémédiablement » (p. 184). Gabrielle quitte son mari, commis à l'hôtel de ville, géniteur abruti. Elle refuse de porter son masque de femme docile. Elle se rebelle contre les masques de la mode, contre toutes les figures peinturlurées rencontrées dans la rue. Gilbert La Rocque est un des rares écrivains québécois (au masculin), avec Michel Tremblay, à avoir écrit une œuvre féministe. L'originalité de son approche consiste en l'exploration des obsessions sexuelles de la femme contemporaine : ses peurs, ses attentes, ses réactions à la première menstruation, au premier coït, à l'accouchement, ses vaines tentatives d'harmonie sexuelle, orgasmique, avec les hommes égocentriques, hédonistes. La Rocque se met à la place d'une femme obligée de se faire avorter pour ne pas céder au chantage d'un mâle géniteur. Ce sont les hommes qui sont démasqués dans *Après la boue* :

> ...me déshabille comme ça visuel gratis, cochon ! et d'ailleurs les hommes tous les mêmes, l'œil rayon X, vous n'y pouvez rien, proies perpétuellement les femmes, à coups de rétine vous auscultent impudents, vous violent de loin sans que vous puissiez dire ouf ! à l'œil vous possèdent vous grimpent, télébaisage, facile ! pornophiles mine de rien, en tout cas me paieraient cher pour porter mes chandails sans soutien-gorge, pas moi oh non ! leur donner le moins de prise possible, voyeurs !...(p. 49)

Les hommes savent-ils ce que c'est que d'être obligé de se faire ausculter par un gynécologue ? Peuvent-ils imaginer ce que c'est que d'accoucher, d'avoir à se faire violence en se faisant avorter ? Toutes ces émotions, toutes ces sensations (Gilbert La Rocque n'est-il pas avant tout l'écrivain des sensations fortes ?), sont décrites de l'intérieur d'une façon à vous couper le souffle. L'écœurement du lecteur, réel, trop réel, ou presque, est celui d'un refus de la violence faite aux femmes. Le passage qui suit, décrivant la fausse-couche provoquée par Gabrielle, représente certainement l'écriture la plus violente jamais conçue au Québec :

> Gaby se laissa de nouveau glisser sur les reins, son cœur lui battait dans les yeux elle voyait de gros points

noirs qui pulsaient, elle tenait à présent la broche à tricoter, la longue broche flexible dans sa main droite, à la
façon d'une plume ou d'un crayon...elle se raidit, mâchoire
crispée, ses dents grinçant un peu...lorsque l'aiguille à
tricoter se mit à explorer le vagin et que la pointe arrondie
en effleura les parois, elle eut un énorme sursaut, puis
elle se mordit les lèvres *je ne veux pas crier, c'était atroce
c'était odieux* mais elle continua d'enfoncer l'aiguille...une
violente contraction venait de lui saisir le ventre...la pointe
était rendue...*elle tisonne longtemps et sauvagement avec
sa broche à tricoter elle ne veut pas rater son coup non
plus tard elle n'aurait plus la force* et elle ferme les yeux
puis les rouvre et aperçoit du sang entre ses jambes *oui
un filet de sang se dilue dans l'eau qui reste au fond de
la baignoire et méandreux s'écoule par le trou de renvoi
c'est mon sang c'est mon sang c'est fœtus*...(p. 141-142)

Les parallélismes et les structures signifiantes abondent
chez La Rocque. Dans chaque roman se tapit la hantise lancinante de tuer son ennemi avec un instrument tranchant,
pointu : un canif, un couteau, une épée, une aiguille à tricoter,
un rasoir. Gabrielle imagine son mari lui sautant sur le dos,
lui tranchant la gorge jusqu'aux vertèbres avec le couteau à
pain ; dans un autre rêve, elle se venge, étripe son mari. « Je
veux te tuer » (phrase récurrente destinée à l'origine à un frère
sans-cœur, refrain de la vengeance universelle portée à son
paroxysme), peut s'appliquer à toute personne qui profite
bassement d'une autre et qui hante le subconscient de la
victime. À l'opposé de ces monstres déambulent, dans l'enfance et dans la mémoire des personnages, un fou ou une
folle qui nous montrent que l'on peut être doux, aimable,
heureux et équilibré. C'est le cas du frère de Clément dans
*Corridors,* de Ti-Nesse dans *Après la boue.*

Autre parallélisme significatif : les scènes d'amour dans
une bâtisse délabrée. Dans *Le Nombril,* une telle scène incarne
l'absurdité d'un amour physique narcissique ; dans *Après la
boue,* elle représente, pour Gabrielle, tout le contraire : la
découverte des plaisirs de la chair grâce à une amie qui lui
enseigne la masturbation :

Gloria Patry baissa sa culotte à elle puis tout de suite celle de son amie et elles relevèrent leur jupes, et Gabrielle ne disait rien, ne bougeait pas d'un poil, elle avait des vertiges plein la tête, puis elles comparèrent leurs enfourchures...Gloria remonta sa main ouverte sur sa vulve et commença à la masturber, de sa paume et du bout de ses doigts elle frottait doucement cet organe qui faisait des bruits mouillés comme une gueule qui sape, et Gabrielle s'abandonna aux doigts de Gloria oui elle se laissa brusquement partir dans le bizarre remous de son ventre...(p. 30)

Les jouissances de cette scène, si différentes des autres histoires d'alcôves chez La Rocque, contrastent avec la brutalité du mari qui porte bien son nom : Roch, individu dur, insensible, égoïste.

Si nous reconnaissons, au détour des pages, encore d'autres anecdotes et faits repris de roman en roman (névralgie, tempes qui élancent ; emplois étouffants pour automates), si les phrases nous sont familières, toujours rythmées, spontanées, haletantes, coulées de conscience sans chapitre ni ponctuation rigide, c'est surtout l'univers symbolique qui confère à l'œuvre son unité.

### La boue

La particularité symbolique la plus frappante d'*Après la boue,* outre toutes les images de pourriture, de vomissures, d'éventration, d'ordures, de vieillissement et de mort, c'est la boue et toutes ses représentations singulières. L'auteur savait très bien que son langage imagé traduisait les remous du subconscient :

Tout le monde a de la boue dans la tête et dans le cœur, vous savez. Il y en a chez qui ça clapote joliment !...mais les gens ne s'en rendent pas toujours compte. Aveugles, sourds et muets, ils se noient dans leur propre océan de boue.

La boue est la manifestation brutale des couches inférieures de mon être. Vient un moment où le romancier

doit nécessairement se faire l'interprète de son subconscient et dresser lui-même un acte d'auto-accusation. Alors,
ça donne ce que ça donne, et on a les personnages et
les situations qu'on mérite ! (mon entrevue, *L'Écrivain
devant son œuvre*, p. 299-300)

*Après la boue* est l'histoire d'une femme éclaboussée de
honte, asservie aux caprices des hommes qui l'entourent, mais
qui se décide courageusement à s'affranchir. La « boue quotidienne » chuinte, enlise, et suce Gabrielle. La vie l'écrabouille
comme un rouleau compresseur : poinçonner à neuf et à cinq
heures, retourner au logis qui encercueille. Le temps pourrit
sous elle « comme un long caca glaireux » ; Gabrielle s'abrutit
à lorgner la télévision. Fange et purin remplissent ses rêves.
Ailleurs dans le roman, la boue, « ce puant limon des profondeurs » incarne ces millions d'enfants non voulus, produits de
viols officiels ou légaux (par le mari).

Enfant, Gaby rêvait souvent à une grande femme blanche
comme givre qui essaie de l'empêcher de toucher à son sexe,
de se donner du plaisir, qui veut lui arracher « ce sale petit
cœur de boue ». La boue est ici tabou social, contrainte, sentiment de culpabilité implanté en nous par une société mora-
lisatrice. Jusqu'à la fin de ses jours, Gabrielle s'éveillera avec
la tête inondée d'eau bourbeuse, « momie raidie dans son
sarcophage de temps » (p. 23), le trou des souvenirs lui collant
à la tête « comme une boue glacée » (p. 15).

L'eau n'est presque jamais claire dans l'œuvre de Gilbert
La Rocque. La « vie pélagique des profondeurs » (p. 139)
ressuscite les « sables mouvants de la famille...on y étouffe on
y meurt avec ses rêves qui ont pourri ah que c'est fétide l'odeur
des rêves morts !... » (p. 111). Du fond des boues noires se
détache et remonte lentement le passé répressif des Québécoises, « transmis comme une ignoble maladie dans le sperme
des vieux géniteurs...odeur de charnier et de souffre...tout ce
passé remonte à la tête comme de l'eau sale dans un évier
bouché » (p. 103).

## Images végétatives et animales

Gabrielle, qui habite la rue de la Végétation, est justement « habitée » par la végétation. Elle se sent chaque matin la tête vide comme une courge séchée au soleil, « énorme fruit mort, ma tête, sphère creuse où s'agitaient mes pensées dérisoires pépins ratatinés, images et sons déboulant chaos jusqu'au plus profond de moi... » (p. 22). Métaphores dépréciatives qui renvoient inévitablement à l'image de notre propre mort, les plantes évoquent le tragique de la vie, l'injustice des maladies :

> ...la jeune femme de la chambre d'à côté est morte hier de son cancer des os, finie rongée, son cancer l'avait toute sucée de l'intérieur, ne restait plus qu'une pomme pourrie...(p. 145)

Comme dans tous les romans de La Rocque, une image de la nature, une seule par roman (cela peut être une montagne, une rivière, un arbre), prend une valeur curative. Pour Gaby, il y a cet arbre de l'enfance assassiné par un urbaniste assoiffé d'argent. C'était l'été. L'enfant se tenait devant la fenêtre, tandis que dehors des hommes massacraient l'arbre, le décapitant, le démembrant. Plus d'arbre, plus d'ombre verte, plus de senteur, de feuilles, plus rien. L'imagination de Gabrielle — et de La Rocque — sera marquée pour toujours par cet événement en apparence banal. Désormais, colorier un arbre, passer au vert le feuillage, c'est inévitablement, malgré soi, peindre le tronc en rouge, « comme s'il était blessé à mort ». L'incroyable stupidité humaine répand du sang partout, spoliant jusqu'à l'imagination fantaisiste.

Les personnages de Gilbert La Rocque sont à l'image de toutes ces bêtes en cage qui peuplent nos zoos ou qui, vivant en liberté, subissent les conséquences d'une « civilisation » fondée sur le capital. Coure et piétine dans les murs des maisons décrites par La Rocque une horde de rats rongeurs. La pauvreté grignote, gruge, encage. L'emploi de Gabrielle au Federal Shoe ressuscite un terrible souvenir. Autrefois, la grand-mère de Gabrielle possédait une cage avec un tambour dans lequel un écureuil courait sans avancer, s'épuisant à faire semblant de vivre. Les personnages de Gilbert La Rocque ne font guère mieux. Dans un monde fictif désespérant, ils vivent comme des animaux traqués par des individus voraces. Étrange phénomène que celui des enfants qui s'amusent, fascinés, à écrabouiller des grenouilles. Phénomène universel (combien de jeunes garçons, au stade sadique et inquisiteur de leur développement, ont tué cruellement qui des grenouilles, qui des oiseaux ?). À partir de ce constat, le romancier, se laissant aller à son imagination, brosse le tableau d'une femme dans l'obligation d'avorter, cuisses écartées, ressemblant à une grenouille fendue, se sentant tout étirée autour de son ventre clapotant, cachant ce têtard difforme qu'il faut absolument extirper. Qui mieux que Gilbert La Rocque sait écœurer son lecteur par la souffrance injustifiable des bêtes et des hommes, par tous ces fœtus « aux gros yeux ronds de petite pieuvre...leur tordre la gélatine comme ça regardez son jus rouge coulant...un voile noir ondulant devant ses yeux » (p. 138), par ces femmes qui se font grimper, « empalées, oui embrochées comme ça vives telle une grenouille sur un bâton » (p. 33), « très humain ça, oui mais les chiens et les chats aussi, matou saillant, accouplements furieux électriques oh les griffes en rut miaou ! » (p. 36) ? Fable atroce que celle de Gilbert La Rocque, où nos « frères salivant, canins » imposent la loi de la brutalité et de la satisfaction à tout prix, où revues et films projettent des images de mains érotiques, transformées, par le romancier, en des « insectes plats qui voyagent sous les robes », où la moitié de la population de la terre partage sa vie avec des cafards et des rats. Au bout du chemin grotesque de la vie dessiné par l'auteur d'*Après la boue* guettent les vers blancs, insectes regorgeant de pattes et d'antennes, horribles mouches des cercueils.

Si Gilbert La Rocque raconte une histoire, s'il affabule, s'il accroche parfois son lecteur d'une façon traditionnelle (par l'anecdote), c'est afin de déraper dans les vibrations des sens, dans les images subliminales qui le hantent et l'expriment. Loin du souci de la stricte cohérence narrative, cette prose originale jaillit d'un état de rêve éveillé, exprimant le monde « en creux ». Aux lecteurs de réfléchir,...et de frissonner !

# Serge d'entre les morts
## ou le tourbillon des sens

Ce quatrième roman est l'exemple le plus pur de la création littéraire selon Gilbert La Rocque : aucune narration chronologique ; série de souvenirs sans cesse repris et amplifiés. La Rocque a un talent fou pour nous parler de rien, ou de peu de choses, pour se répéter sans se répéter, donnant souffle, couleurs, odeurs et textures aux êtres et aux choses.

Prolongement des romans précédents, et surtout du *Nombril*, *Serge d'entre les morts* présente la même atmosphère, en plus concentré, réunit les mêmes images et les mêmes thèmes, en les nuançant, que les autres œuvres. Le narrateur travaille à la « shoppe », à la « Lazare Ventilation », microcosme de la Ville dans toute sa hideur, immense mécanique bouffant et mutilant les ouvriers. Album de famille à la Gilbert La Rocque, les pages de *Serge* s'ouvrent et se referment en quelque sorte au hasard, les images étant projetées sur un écran déformant, déréglé. « J'écris une seule et unique œuvre ; pas des livres, mais un livre, à travers les différentes facettes qui constituent un tout. Je veux construire une œuvre globale. », m'a confié La Rocque (*L'Écrivain devant son œuvre*, p. 302).

Le vrai sujet de ce roman fascinant, un des plus originaux de toute la littérature québécoise, c'est « la connaissance sensible de soi » (p. 107). Tout est sensation, désir, intuition. Tous les sens sont activés. Rares sont les verbes, noms et adjectifs qui ne servent pas à créer une dévorante atmosphère sensuelle. Même le simple fait de décrire une partie du corps renforce, grâce à ce que Gérard Bessette appelle une « exceptionnelle imagination cénesthésique » (*Le Semestre*, p. 15), l'ambiance sensorielle. Dans l'exemple suivant, j'indique, par des chiffres, les cinq sens éveillés par l'auteur : buccal (1), olfactif (2), ouïe (3), toucher (4), vue (5). Ce sont surtout le toucher et l'odorat qui semblent guider La Rocque, renforcés par une osmose et une correspondance troublantes des différents sens :

> ...je suis assis et je sentais (2) sa chaleur (4) sur mon bras (4) même si mon bras ne la touchait pas (4) et j'avais dans les narines (2) le parfum (2) de ses cheveux et je me disais c'est peut-être ce soir après tout, animal jusqu'au fond du ventre, humer (2) presque tournant de l'œil (5), ce n'était pas comme le parfum (2) de Colette son parfum (2) naturel qui me faisait pomper des gallons de sang brûlant (4) jusque dans le bas du ventre, non c'était autre chose mais c'était bon ça donnait comme le vertige, je me disais ah ses totons ah lui poigner les totons (4,5), car ça bougeait (5) lascif quand elle respirait (3,5) et elle se forçait visiblement pour respirer fort (3,5), je savais les glandes infernales avec leurs bouts roses dans leur hamac élastique (5) et je me demandais ce qu'il fallait dire ou faire en pareille circonstance et je sentais bien qu'elle me regardait (5) de côté et attendait quelque chose, oui que je fasse quelque chose, mais je ne savais pas au juste quoi ou plutôt je le devinais mais sans trop y croire et de toute façon j'ignorais comment le faire sans avoir l'air niaiseux et je n'osais pas bouger j'étais comme pris dans le béton, et soudain elle a mis sa tête sur mon épaule (4) comme on voit dans les films et ses cheveux étaient sur mes lèvres (2,5) ça sentait bon le parfum la femme (2) et alors je ne sais pas j'avais mon bras autour de sa taille (4) je sentais sous mes doigts (4) que c'était mou impudiquement mou (4) à travers le tissu et que ça faisait un petit bourrelet de chair juste là où je touchais (4) et tout à coup c'était comme si j'avais perdu les pédales, en tout cas il y a eu une sorte de fièvre délire (4) peuplé de viandes lascives et de toisons et de mucosité odorantes (2) et je me suis brusquement

rendu compte que j'avais la langue dans sa bouche (1)
et elle me lichait (1,4) et ça faisait mal dans mes culottes
qui étaient soudain devenues bien trop petites et alors j'ai
senti (4) que sa main glissait (4) sur ma cuisse et je me
suis dit non elle osera pas faire ça mais déjà elle avait eu
le temps de mettre sa main juste là et de pogner (4) et
je me suis senti bizarre...(p. 60-61)

*Serge* se déroule tel un « cinéma hanté » des grands
moments sensoriels, des émotions fortes, qui structurent les
rêves du narrateur. À cause de la prépondérance des sens,
tout est flou, ambigu, « incestueux », l'émotion forte ressentie
pour un parent ressemblant étrangement à celle éprouvée pour
un amant ou une amante. La cousine de Serge, Colette, incarne
cette confusion sensorielle. Que Serge fasse l'amour avec une
inconnue, ou avec l'aguichante Aline, il pense (et sent) inévitablement la présence de sa cousine, voire de sa grand-mère.
Tout s'embrouille dans d'étranges glissements de sens, où
orgasmes, accouchements, derniers soupirs et vengeances
physiques relèvent d'une même correspondance des sens.

*Serge d'entre les morts* est constitué de ce que l'auteur
appelle des « éctoplasmes », d'enchaînements de souvenirs,
de « cinémas olfactifs », de « tous ces désirs éperdus qu'on ne
dit pas et qui finissent par se débrider tout seuls au fond de
vous comme des abcès trop mûrs » (p. 51). C'est un Gilbert
La Rocque à l'état pur qui nous est livré, mais aussi un
« voyage » offert à tout le monde, car si les noms des personnages de l'existence de Serge ne sont pas les nôtres, les sensations provoquées par la mort et l'amour, par l'amitié et la
haine, par l'émerveillement, sont universelles. Gilbert
La Rocque est un des rares écrivains à pouvoir nous faire passer
par de tels états d'âme sans avoir recours à une narration
développée. Ne compte pour lui que ce pétillement d'images
surgies « d'entre les ombres », puisées dans l'« entre-deux »
que constitue l'espace de la mémoire. Dans cette optique, les
morts continuent d'exister pour les vivants, la mémoire rani-
mant tout. Nous avons tous en nous de ces scènes multi-
formes, kaléidoscopiques, qui surgissent (Serge, de *surgere*,

lever, en latin) du tréfonds de notre mémoire. Ce sont de tels surgissements qui mettent en branle la fonction libératrice de l'écriture :

> ...le jeu de l'écriture n'est probablement qu'un procédé artificiel permettant le déblocage des forces inconscientes...Les mots sont la boule de cristal, les cartes étalées, l'incantation permettant d'entrer en transe et de dire autre chose que ce qu'on croit dire. Et, à mon avis, c'est là que le phénomène de la création prend toute son importance. Quand on parvient à avoir accès à son grand réservoir inconscient, on rejoint l'universel — ça ne s'explique pas, ça se fait et ça se sent. (Gilbert La Rocque, dans *L'Écrivain devant son œuvre,* p. 305)

*

Les épisodes décrits dans *Serge d'entre les morts* ne sont pas nombreux. Mais ils sont exemplaires et chargés de signification camouflée. Pas besoin de bien connaître les personnages. Nous sommes aux antipodes du réalisme.

Épisode 1. La grand-mère aux yeux fous clouée à sa chaise berçante, incarnation de la vieille Canadienne française procréatrice, apparaît comme une de ces images dont on ne se débarrasse pas du jour au lendemain. Héritage hallucinant qui survit dans un horrible cauchemar auditif et olfactif — l'odeur de « paparmane » qui empeste l'haleine de la vieille, les crissements de sa chaise...criii craaa, « le bruit du temps qui meurt sans jamais mourir » (p. 140) — la grand-mère s'apparente à des souvenirs que nous pouvons tous avoir d'un grand-parent ou d'un ami qui n'est plus. Pour Serge, la grand-mère signifie aussi la femme (parfum, désir), mais elle est en même temps la mère, le retour au sein maternel, et, paradoxalement, inévitablement, le signe de la mort ; c'est une femme vampire : « ...il y a cette grande femme rouge qui se berce alors elle se lève et vous voyez qu'elle a une face de cire blanche et une immense bouche barbouillée de rouge à lèvres très rouge elle a des dents pour vous déchirer et elle vous sourit elle veut ressembler à votre mère c'est encore plus insupportable » (p. 145). La grand-mère est sans doute la femme telle qu'elle est perçue périodiquement par l'auteur lui-même : femme ancêtre culpabilisante ; femme-mère associée au vagin-naissance-mort ; femme-épouse...impossible de dissocier ces trois femmes, osmose tenace. Le passé canadien-français — ces « antiques malédictions du sang » (p. 35), ces années noires de silence et de refoulement — prend la forme d'une « monstrueuse vulve pourrie » qui ravale La Rocque, qui l'empêche d'être libre, « utérus insensé qui l'aspire pour le nier », « huître puante ».

Dans chacun des romans de La Rocque, on devine curieusement une autobiographie déguisée (le mari de Colette s'appelle Gilbert ; Serge a la tête « pleine de sang par caillots », son grand-père a une grosse veine bleue qui bat sur la tête, sa grand-mère souffre de sa petite veine bleue sur la tempe ; Serge lit le marquis de Sade, tout comme La Rocque). *Serge* semble être la transposition d'un rêve maintes fois vécu : « Quand j'étais jeune — entre six et dix ans, mettons — je faisais des cauchemars en série, l'un prolongeant l'autre, l'horreur s'ajoutant à l'horreur de nuit en nuit. Le soir, je ne voulais plus m'endormir, je ne savais que trop ce qui m'attendait...Je me sentais partir dans le grand tunnel des épouvantes qui reliait mes nuits. Dans ces cauchemars — ou plutôt dans cet unique cauchemar à épisodes — je voyais une grande femme rouge qui me poursuivait partout. Elle ne me faisait pas de mal : elle était là, tout simplement, me blessant par la seule laideur de sa face blême et de son informe et immense bouche rouge sang... » (*L'Écrivain devant son œuvre*, p. 300).

Épisode 2. Colette, cousine souriante aux lèvres roses, fausse sœur dont Serge est jaloux, apparaît comme l'illustration de la complexité et de la fragilité de l'amour. Colette tient un papillon par le bout des ailes alors que le narrateur l'implore de le lâcher. Serge ne veut pas que Colette brise les ailes du papillon. Pour lui, ce sont les signes de la liberté et de la beauté naturelle. Et pourtant, Colette écrase les ailes, puis met le papillon dans la main de Serge : « ...elle a mis dans ma main quelque chose qui bougeait, et je regardais l'espèce de ver à pattes qui se tortillait avec ses moignons d'ailes pulvérisées j'avais comme une poudre orangée au fond de la main » (p. 34). La couleur orange reviendra souvent hanter le narrateur, chaque fois qu'il sentira son bonheur se désintégrer. Image saisissante, à la fois visuelle et tactile. Le papillon évoque la fragilité de l'amour et du bonheur ; le papillon rappelle aussi la mort, invoquant les vieillards à la peau ratatinée, « papillons épinglés sur un bouchon de liège » (p. 33).

Serge ressent un étrange amour pour sa cousine. D'abord, un amour asexué. Tout est blanc : la voile de Colette, sa robe, ses jambes. Colette était alors une sorte d'icône. Le narrateur de La Rocque souffre du complexe nelliganien : les femmes sont parfois statuaires, intouchables, interdites, résultat d'un lourd héritage canadien-français. Mais comme Nelligan, Serge voit se transformer cette femme virginale ; il la « déflore » (p. 20). Elle est brûlante d'odeurs charnelles :

> ...elle sentait comme ces longs après-midi de vacances dont le soleil nu et les nuages ronds et immobiles remontaient parfois dans ma tête, un parfum qui faisait penser à la fois à de l'herbe chauffée et à des étoffes molles remplies de chairs libres et jeunes et roses et moites, ah oui son odeur ! (p. 23)

La nouvelle Colette représente ces femmes ou ces hommes qu'on flaire, dont l'odeur ne nous quitte jamais. Elle est la sensualité même :

> ...oui par la fente du placard la voir ah la voir au moment où dans la lumière bleue de l'après-midi flambant elle laisse glisser sa jupe à terre, ça lui fait comme une flaque autour des pieds, flaque coulant de là et torrieu je regardais et je voyais bien ses jambes nues jusqu'en haut et les chairs spéciales des cuisses on sait bien les cuisses quand il fait chaud et que ça transpire un peu rien de plus mou au monde je voyais bien et tout en moi le savait et je la regardais avec mes dents et avec mon ventre et avec

mes reins et avec ma queue qui s'arquait raide dans mon
pantalon trop étroit ! (p. 23-24)

L'ambiguïté sœur-cousine, l'inceste apparent, ne doit pas
être pris à la lettre. Comme toujours chez La Rocque, il s'agit
beaucoup plus de phantasmes, de « l'imagination qui joue des
tours », que de la réalité vécue dans les faits. Colette incarne
la femme québécoise dans son évolution récente, du refoulement à la libération. C'est pour cela qu'elle est au centre de
la vie de Serge : « Je la voyais d'une certaine façon comme
un axe, quelque chose autour de quoi s'articulaient et pivo-
taient d'un seul tenant tous les petits morceaux insignifiants
qui constituaient ma vie, fragments, mosaïque...conscience du
temps qui avait passé et de la durée dans laquelle toutes les
pièces du puzzle s'emboîtaient. » (p. 93)

Épisode 3. Le père de Serge, « désarticulé étripé ventre
vidé dans les tôles tordues de sa Dodge » (p. 18), est une
manifestation de l'image récurrente des accidentés. Le père
est couché dans son cercueil. Le jeune Serge ressent les
douleurs qui se cachent dans les visages des adultes présents.
Le père incarne ici tous les accidentés du monde, toutes les
victimes du carnage vu à la télévision ou dans « Hallopolice »,
tous ces « ventres ouverts dans les ferrailles d'une auto ». Dans
un autre registre, l'« éclatement ultime » du ventre paternel
constitue encore une autre séquence des cauchemars ventraux,
signes de la mort imminente chez La Rocque. La grand-mère
de Serge, par exemple, a mal dans la vieillesse de son ventre.
Elle est « enceinte » de l'odeur de la mort.

La mort du père rappelle aussi l'insupportable anonymat
de la mort, « l'anonymat cosmique...une sorte de compost
immonde,...de corps liquéfié fermentant » (p. 44). Les morts
sont de ces « choses froides » qui en fait ne ressemblent à
personne, et qui ne vivent, ne « surgissent » que dans les
souvenirs et dans les rêves des gens qui les ont connus. Le
père dans son cercueil, c'est ce « Rien » du *Nombril*, ce « Noir
absolu » de *Serge d'entre les morts*. Gilbert La Rocque est
peut-être le romancier québécois qui a parlé le plus, et de la

façon la plus lucide, la plus lugubre, de la mort qui guette tous les êtres humains, « pions (ainsi Bernard Pion, du *Passager,* porte-t-il un nom annonciateur et maléfique !) qu'on a transportés sur la dernière case du jeu, où attendre toute leur vie que la mort du corps arrive à son tour ». À noter aussi que les scènes de la mort du père, de la belle-fille et de la grand-mère sont d'une même inspiration : mêmes références au pourrissement final ; même hypocrisie des rites sociaux qui accompagnent les funérailles.

Curieusement, le jour des funérailles de son père, Serge couchera dans le même lit que Colette, espérant oublier, par les plaisirs de la chair (imaginés), les peines familiales. Mais l'image du père (type du père dans les romans de La Rocque...musclé, à la fois brutal et tendre, victime d'une société qui l'a dépossédé de lui-même) refait surface, gâchant le bonheur présent :

> le sang de mon père et de mon grand-père et de tous les géniteurs de ma race pleurait en moi et poussait en moi comme dans un tuyau bouché, leurs amours et leurs haines et le grand mal qui les avait dévorés et leurs joies et leurs souffrances et leurs espoirs abolis avaient peut-être traversé le temps pour venir pourrir en moi. (p. 146)

La mère de Serge semble remplir une fonction plus sereine que celle de son père. La mère serait le symbole de toute mère caressante, bordant son enfant, l'entourant de ses parfums, le rassurant : « ...une voix disait ‹Serge, Serge›, mais je n'ouvrais pas les yeux, mes paupières étaient collées j'étais bien à l'abri derrière mes paupières, mais je ne dormais pas, je ne dormais plus tout à fait, et elle a dit encore Serge...et à présent je savais qu'elle était là, qu'elle se tenait penchée au-dessus de mon lit, je la sentais à travers mes paupières et à travers ma peau, comme si elle sortait de moi et y rentrait continuellement, rêve s'effritant au bord du sommeil, ça sentait ses cheveux, parfum de ses cheveux... » (p. 88-89). Mais tout étant glissement de sens dans l'œuvre de La Rocque, la mère s'associera inévitablement à d'autres femmes, et à d'autres émotions.

Épisode 5. Aline et une femme anonyme, premières femmes baisées, premiers coïts sauvages.

Les différentes femmes larocquiennes (grand-mère tuté-laire ; mère caressante, silencieuse, élégante et soumise ; cousine adorée, transformée en vierge et en amante ; femmes baisées) sont les représentantes d'une seule et même personne, sans cesse créée et recréée par les lentilles déformantes de la mémoire. Aline, pour qui le narrateur éprouve un désir fou mais insignifiant, apparaît dans un corridor boueux (tout le contraire de la blancheur qui entoure Colette). Serge la possède dans la chambre à coucher de la grand-mère (là où il a dormi avec Colette, le jour des funérailles du père), « vidant, nécro-phile, la sépulture familiale ». La scène (rêvée, donc réelle !) avec Aline montre l'impossibilité, pour Serge, d'embrasser une femme sans en même temps éveiller le « sol natal » de la mémoire où se réfugient toutes les femmes connues. Enragé par cette osmose Aline-mère-grand-mère-Colette, le narrateur dévaste la chambre dans une vaine tentative de se débarrasser du « sanctuaire » familial, de l'« Inquisition héréditaire ».

Lorsque Serge tripote une fille anonyme dans l'auto d'un ami, la baisant plus tard dans l'herbe, la scène est entrecoupée de séquences où le grand-père prend sa femme de force (le « narf honteux la pénétrant, allant et venant dans l'immé-moriale plothe sèche », p. 136), où le père de Colette se satis-fait en grimpant sur sa femme, et où le narrateur s'imagine en train de faire l'amour avec Colette. Ces osmoses provoquées par le coït réaffirment cette vérité larocquienne que les sens nous contrôlent, que nous ne pouvons vivre le moment présent. Le passé brouille les pistes, la sensualité éveillant des moments anciens, empêchant d'aimer librement. Gilbert La Rocque place dans la chambre à coucher de son imagination torturée trois générations de Québécoises et de Québécois qui s'in-terpellent et se transforment sous les yeux des lecteurs-spectateurs stupéfaits. Seul l'orgasme (masturbatoire ou coïtal), avec la rapidité d'un éclair, permet « d'oublier tout », de « partir » et de se perdre (p. 120).

Les différentes bribes mnémoniques de *Serge d'entre les morts*, cadencées par de longues phrases sans fin, tantôt saccadées, tantôt berçantes, expriment l'universalité des hantises oniriques : déchaînements sexuels ; emprise des sens sur la logique ; pourrissement ultime du corps ; absurdité de la violence humaine ; force de la mémoire héréditaire. Roman effiloché, éternellement recommencé, entreprise pénélopéenne, *Serge d'entre les morts* se présente comme un habile jeu de miroirs. Livre de papillons, de corridors, de boue et de sang, on y reconnaît la langue poétique de Gilbert La Rocque...phrases musicales, mots justes, images crues, violentes, qui forcent le cœur des choses.

D'une certaine façon, personne ne meurt dans ce merveilleux roman. La grand-mère, un peu comme dans *Une Saison dans la vie d'Emmanuel*, ressuscite continuellement « d'entre les morts ». « Tout rêve domine toute réalité », écrit La Rocque (p. 143). Comme Réjean Ducharme, l'auteur de *Serge* est avalé par le temps, par l'immense bouche rouge qui peuple ses cauchemars, par « tous ces morts qui l'avaient fait ou défait, odieuses survivances qui se montraient plus fortes que nous, qui ne voulaient plus sortir, qui empestaient l'air des vivants et qui régnaient sur toutes choses » (p. 141). Serge a raison de se demander si la mort ne serait « qu'une question de degré, plus ou moins mort on ne sait jamais » ? Grâce à l'écriture de Gilbert La Rocque, la réponse nous est donnée : les murmures du passé continueront à résonner dans la tête des lecteurs. La grand-mère se bercera pour toujours dans les contrées de l'imaginaire léguées à la postérité par l'auteur de *Serge d'entre les morts*.

# Les Masques
## ou les mystérieux mécanismes de l'acte créateur

Montréal au mois d'août. Été torride. Un écrivain québécois se rend à un rendez-vous avec une journaliste dans un restaurant de la rue Saint-Denis. Questions insipides : enfance des personnages, caractéristiques autobiographiques, explication claire et limpide du comportement sexuel des personnages. L'interviewer ne comprend rien, refuse d'accepter l'ambiguïté comme source créatrice. Réflexion du romancier : « La plupart des lecteurs ne savent même pas lire » (p. 26).*

Gilbert La Rocque fulminait contre une civilisation plus intéressée aux « grands prix littéraires » et aux romans à l'eau de rose qu'aux œuvres profondes. Et pas seulement au Québec ! Je me souviens très bien de la réponse de La Rocque à ceux qui voulaient savoir si *Les Masques* s'étaient bien vendus : « ouf ! 800 exemplaires la première année. Mais c'est bon, vous savez. Le dernier Beckett s'est vendu à seulement mille exemplaires en France. Les gens ne sont plus intéressés à une littérature profonde, difficile, qui exige une participation active du lecteur. »

_____

* « Ça me tentait d'évoquer ces journalistes qui ne veulent que des faits précis — la petite histoire du roman, en somme. C'est sans importance, ces machins-là, alors qu'il y a tant à dire sur la face cachée de l'écriture, sur tout ce que les mots laissent supposer dans les profondeurs obscures du roman. » (Mon entrevue, *L'Écrivain devant son œuvre*, p. 307)

Ce n'est peut-être pas important de savoir pourquoi Gilbert La Rocque a écrit *Les Masques*. J'avance pourtant une hypothèse, confirmée par la parution du *Passager* : régler ses comptes avec une certaine critique sensationnaliste, superficielle, axée sur une approche exclusivement thématique ; élucider la nature de l'acte créateur dans le but d'en dévoiler sa nature universelle. En effet, *Les Masques* est avant tout un voyage fantasque dans l'imaginaire d'un écrivain livré aux fantasmes qui portent le sens de son écriture et qui rejoignent les pulsions mythologiques tapies au fond de chacun de nous.

Deux histoires se déroulent parallèlement dans ce roman, se renvoyant et se complétant l'une l'autre : celle d'une interview paralysante ; celle d'un roman en pleine gestation. Or, à un certain niveau, le roman en train de s'écrire dans la tête du narrateur n'est pas sans rappeler les romans précédents de La Rocque : narrateur-écrivain séparé (tous les personnages vivent un divorce perpétuel) de sa femme insomniaque, névrosée, condamnée aux pires cauchemars, victime des complexes d'un Québec patriarcal et théocratique ; parents cancéreux (mère, oncle), reflets symboliques du milieu rongé de l'intérieur, prêt à s'effondrer ; père déprimé, rat de tavernes ; « pepére » Tobie, complètement capoté, cloué à sa télévision ; « memére » Philomène, alcoolique, se réfugiant dans des romans à l'eau de rose (qui se vendent bien !), se masturbant frénétiquement, faute d'amour vrai. Le lecteur de l'œuvre globale trouve donc des points de repère. Dans un roman donné, c'est le père qui meurt devant nos yeux ; dans un autre, c'est la mère. Les noms des personnages sont interchangeables, le mal qui gruge les êtres et les choses constituant le sujet principal. « Maman se décomposait lentement et graduellement dans sa maladie qui la mâchait par le ventre, ce mal broyeur qui s'était installé comme un gros insecte dans ses entrailles de femme » (p. 54). Mêmes insectes carnivores ; mêmes ventres, signes de mort, et même ambiance de décomposition de l'environnement, miroir du mal intérieur : « ...les balustres à moitié pourries des galeries et les cordes à linge et les palissades de bois délavé et les poubelles où grattaient les rats... » (p. 54). Les personnages « aux paupières de tôle » se meurent, envahis par la ville rouillée. Dans un tel monde sans valeurs absolues, où l'on s'accroche au bonheur « comme on tient un moineau (un papillon, aurait dit Serge) dans la main » (p. 39), le narrateur n'a que son écriture, et parfois des nuits érotiques avec une femme ramassée dans un bar de la rue Crescent, source d'érotisme plus près de la sexualité libidineuse à la Gilbert La Rocque que du plaisir consenti et réciproque.

*Les Masques* est un roman du voyage ; en taxi, en train, en auto, le narrateur, ou plutôt le personnage du futur roman (c'est la même chose), subit les effets de son « ciel intérieur » où canifs, lames de rasoir, et bistouris permettent, dans l'imaginaire, de se venger d'un milieu familial étouffant. Il n'y a aucun doute que l'écrivain-narrateur est en partie La Rocque lui-même : tous les deux se plaignent de leurs « tempes serrées » (rappel de la mort qui traque tout le monde) ; tous les deux voient des images de poissons crevés, de plantes et de bêtes cauchemardesques, de femmes à la bouche rouge sang ; Alain effectue (comme Gilbert, en 1982) un voyage en Savoie (à Chambéry « la tranquille ») où il assiste à une rixe (symbole de l'absurde violence humaine) ; tous les deux pratiquent les arts martiaux, histoire de rester en forme,... et d'imaginer (et non réaliser) toutes sortes de vengeances intériorisées.

*Les Masques* contient sa part de suspense, comme toute vie (l'aspect « roman policier » des œuvres de La Rocque étant le microcosme grossi, potentiel, de l'existence de tout le monde). Le jeune fils d'Alain se noie dans la rivière des Prairies le jour du quatre-vingt-unième anniversaire du grand-père. Noyade symbolique : la vieille génération fête, survit ; la jeune génération se perd, ne trouve pas de terre ferme où accoster.

Nous sont présentées dans ce roman quelques « miettes de vie » (p. 73) vues avec les « yeux intérieurs » du romancier. L'œuvre de La Rocque rappelle sans cesse la « fatalité intérieure » qui dicte impérieusement notre conduite. Pas de fil conducteur dans cet univers, mais plutôt des labyrinthes, des souvenirs. La vie, c'est un peu comme le serpent qui se mord la queue, ou le chien qui court après sa queue (deux images récurrentes dans *Les Masques*) ; c'est un rite karma « par lequel il faut passer avant d'entrer dans la mort, l'épreuve du grand Passage, l'initiation dans les chambres secrètes de la pyramide » (p. 62). L'originalité de l'œuvre de La Rocque réside dans les lueurs symboliques qui parsèment son « ciel intérieur », dans les éclairs aux significations profondes. Travaillant au niveau du subconscient, l'auteur n'a pas besoin de tout expliquer. Gilbert La Rocque est un déclencheur. Son écriture « hiéroglyphique » (p. 181) est celle des signes et de l'intuition. À ce point de vue, elle serait féminine, du moins si l'on croit Alain qui prétend que les femmes comprennent (ressentent) mieux que les hommes la réalité cachée des choses.

### Les eaux de l'existence

Tout commence par la rivière des Prairies, tout commence par le liquide amniotique. Mais tout finit par l'eau également,...par la noyade d'Éric,...par la dernière position des mourants, le retour à la position fœtale. Tout s'embrouille et s'éclaire autour des représentations ambivalentes de l'eau et de l'utérus. Éric se noie à côté de l'île aux Fesses (le sexe associé à la mort), décès qui devient paradoxalement le moteur, le prétexte, des *Masques*. La rivière et le roman sont indissociables :

> ...il les percevait comme un tout, la rivière et le livre, la même chose, le même écoulement, comme la vieille vie vécue serpentant rigoles derrière soi, semblables les méandres...la vie fuyant et s'écoulant comme un roman-fleuve, un livre-rivière avec sa source, son ventre et sa dilution terminale, remonter à l'origine, en voir la naissance, lacustre...autre chose, en tout cas, que l'enfance des personnages dont parlait la journalâtre qui avait l'air de ne s'apercevoir de rien et qui jacassait à perdre haleine...(p. 25)

La rivière renferme en elle à peu près toutes les significations du roman. Il y avait à l'origine la première rivière, celle de

l'enfance : ...« dans ces années-là, la rivière était encore rela-
tivement pure...il restait de l'espoir...je pouvais encore aller
me saucer aux plages... » (p. 79). Dans ce temps-là subsistaient
encore la maison de l'oncle peinte en blanc avec du noir autour
des fenêtres, le feuillage et les fleurs de la pergola blanche, les
vinaigriers aux cônes de velours rouge, le saule géant dont les
feuilles s'agitaient au vent comme des plumes d'oiseaux verts,
faisant jaillir une fontaine d'odeurs. Les chèvrefeuilles bruis-
saient, les gloires-du-matin grimpaient dans les treillis blancs,
et les roses sauvages parfumaient l'air. C'était avant l'adoles-
cence, avant que la réalité quotidienne ne vienne tout gâcher.
Apparaît alors l'autre rivière, la même, mais transformée,
portant en elle les reflets du désespoir, « grande rivière malade »,
hoqueteuse, vomissant, rejetant des poissons morts aux ventres
éclatés. Tourbillonnent là-dedans les mauvais souvenirs qui
coulent comme une diarrhée. Dans cette rivière prolifèrent les
« mardes et les maladies les plus extraordinaires » (p. 17).

La noyade d'Éric dépasse la simple anecdote, la réalité
vraisemblable se muant en fiction révélatrice. L'auteur se noie
dans l'existence elle-même, dans les saletés polluantes de la
ville, dans la merde de son absurde famille. Mais le paradoxe
de la vie est tel que la rivière (et tout ce qui est brun, merdeux)
constitue la source de l'écriture. Le narrateur se renferme dans
la bécosse, dans les toilettes. Dans sa tête affluent les images
et les sujets du roman en gestation. La cuvette reçoit les étrons,
mais aussi le sperme. Assis sur ce trou, le pénétrant (association
avec le vagin et avec l'anus) par sa semence, le narrateur
avance dans la création de son roman. Chier en écrivant, chier
en mourant, chier et éjaculer, signes de l'acte créateur dans
l'œuvre de Gilbert La Rocque.

Tout ce qui est orifice est également lié à l'écriture. Les
mots jaillissent du narrateur comme une trombe, sa création
s'écoulant « telle une éjaculation qu'on ne peut plus retenir »
(p. 28). Écrire, c'est ressentir dans sa tête ce « gonflement
utérin » que provoquent les richesses du langage ; c'est naître.
Alain, comme La Rocque, sans doute, éprouvait par vagues

le « grouillement de ces fœtus glauques qui n'en finissaient plus d'étirer leurs membres et de faire craquer leurs doigts avant de faire leur entrée sur scène...l'espèce d'angoisse qui parfois le saisissait à la gorge ou qui lui tordait le ventre : ce sentiment que tout était devenu urgent, que rien ne pouvait plus attendre et qu'il allait falloir au plus sacrant faire naître cette vie dans le roulement d'une certaine façon hypnotique de la machine à écrire... » (p. 35).

Puisque naître, c'est se préparer à mourir, écrire, c'est affronter la mort. Les orifices rappellent cette dualité insupportable. Vagins (plottes), trous du bol, ventres éclatés (d'êtres vivants ou d'objets), simples précipices, et surtout bouches sont les signes larocquiens de l'écriture. Enfant, Alain était à la fois fasciné et horrifié par le vagin de sa belle-mère ; à la même époque, il rêvait à la bouche dentée de la femme rouge. Vagins et bouches aspirent Alain vers une écriture de la mort où l'auteur est sans cesse avalé par ses souvenirs. Pour La Rocque, l'écriture est cet « ectoplasme flottant dans le grand kaléidoscope » intérieur (p. 21) de soi. Ce sont des « éclairs fous, comme une lumière qui s'allume dans un corridor en pleine nuit et qui vous tire de votre meilleur sommeil » (p. 49) « ON ÉCRIT COMME ON SENT », proclame Alain.

*Les Masques* est, avec *Prochain Épisode* d'Hubert Aquin, un des romans québécois les plus enfiévrés sur les étranges rapports entre rêve et réalité, entre écriture et réalités sociales, familiales, et politiques. La Rocque démontre avec éloquence que nous nageons tous entre rêve et réalité, que, comme le romancier, ou l'artiste en général, il nous arrive, tant dans notre sommeil que dans notre réalité envahie par les flashes de la mémoire, de ne plus savoir trop qui est qui ou quoi est quoi. La démarche de l'auteur des *Masques,* n'est-elle pas un peu la nôtre chaque fois que nous basculons dans l'univers des images intérieures ? Le mérite de La Rocque (et ce n'est pas le moindre) est d'avoir su recréer les corridors de la mémoire. L'escalier qui part des toilettes du restaurant de la rue Saint-Denis débouche sur une cave, passage qui mène, par le pouvoir associatif de la mémoire, à l'enfance. La « marche » dans les « bruns boyaux » de la bécosse, et dans les couloirs de la cave — là où se cachent et se tapissent, prêtes à bondir, les images de soi — est une invitation à explorer la fabulation intérieure qui grouille au fond d'Alain, et, par extension, au fond de tout être confronté avec la mort et avec le besoin impérieux d'écrire.

# Le Passager
## ou le dernier voyage à bord de soi-même

Il est significatif que l'image qui revient le plus souvent dans l'univers de La Rocque, induite par le titre de son dernier roman, est celle du passager*. Indubitablement, fatalement, l'ensemble de l'œuvre constitue un long voyage dans les profondeurs de l'inconscient. Les différents narrateurs et protagonistes sont des « passagers à bord d'eux-mêmes » livrés aux « spasmes de la mémoire », sidérés, comme devant un médium, par de « lointains ectoplasmes » (p. 10). Leurs destins, tel « l'Ouroboros des infinis recommencements » (p. 145), s'éteignent et ressuscitent dans le mirage foudroyant des souvenirs.

Bernard Pion a connu essentiellement les mêmes décors déprimants que ses prédécesseurs. Sa fenêtre donne sur des hangars de tôle rouillée, sur des escaliers en colimaçon et des cordes à linge. Surgissent de la maison de son enfance deux images claires et cruelles : sa mère s'éreintant à travailler dans la cuisine ; son père rentrant du travail, titubant dans le corridor, rotant sa bière avant de se fixer devant l'éternelle télévision. Enfant traumatisé, le jeune Bouchard faisait d'horribles cauchemars, se faisait battre par son père, lui criait « j'vas te

---

* La Rocque avait choisi comme titres éventuels du *Passager* « Le Faiseur d'images »
  et « Mirages » (renseignement recueilli dans les manuscrits inédits de l'auteur,
  que la famille a bien voulu me prêter).

tuer ! j'vas te tuer ! », litanie vengeresse vociférée par presque tous les personnages de La Rocque enragés contre les brutes : un frère, un oncle, un père ; un felquiste sectaire *(Corridors),* un journaliste bête *(Les Masques),* un critique littéraire irresponsable *(Le Passager).* L'enfer familial évoqué dans le prologue du *Passager,* lourde hérédité à la fois individuelle et collective, déterminisme typiquement larocquien, jette la lumière sur les colères et sur l'alcoolisme de Bernard Pion et s'applique en fait à presque tous les personnages du romancier. Il est intéressant de noter que Bernard Pion est le nom d'un personnage d'un des tout premiers romans écrits par La Rocque, œuvre inédite. Intéressant aussi de constater que les différents sens de pion s'appliquent au *Passager :* Bernard est le pion (jouet) des critiques littéraires ; La Rocque fait la satire des pions (intellectuels pédants) ; Bernard est un raté, un pauvre hère, (un pion, au sens archaïque du mot) qui se voit souvent comme un fantassin fonçant sur son ennemi (sens ancien de pion : soldat d'infanterie dans un roman de chevalerie).

Comme nous l'avons déjà constaté, chaque roman de La Rocque tourne autour d'une histoire particulière, d'une action immédiate, simple charpente narrative servant de support à l'action profonde composée des signes du subconscient : Bernard Pion, malheureux en amour (couple routinier né de l'appétit sexuel et de la nécessité sociale), éditeur aux Éditions de l'Ombre (La Rocque a travaillé aux défuntes Éditions de l'Aurore !), admirateur, comme son créateur, de Renoir et de Bruckner (encore un autre clin d'œil autobiographique), essaie d'achever son « grand roman » sur le personnage le plus important de son enfance (scène récurrente), son grand-oncle qui vit sur le mont Saint-Hilaire. Mais Bernard est bloqué, écœuré par la façon dont les média fabriquent les « meilleurs écrivains », par la supercherie et l'importance exagérée des prix littéraires, par les critiques littéraires qui s'arrogent la compétence de dicter aux écrivains ce qu'ils doivent faire au lieu d'élucider, de faire apparaître les beautés, les structures internes des œuvres. Bernard rencontre un critique à un cocktail, l'insulte, se fait gifler, hallucine, sous l'effet de l'alcool, s'imagine en train de poignarder son agresseur, et par association, d'étrangler son amie (pour se débarrasser des principaux représentants de l'hypocrisie). L'action s'intensifie : Pion part à la recherche de son oncle du mont Saint-Hilaire, se fait blesser dans un accident d'automobile ; ramassé par la police, il essaie de se suicider, et sombre finalement dans la folie.

Toute cette « action immédiate » semble renvoyer à la réalité quotidienne. Mais, comme toujours en littérature, les apparences sont trompeuses. Le critique se nomme Marcel Gilbert. Serait-ce donc un avatar de Réginald Martel de La Presse et de François Hébert du Devoir ? La Rocque s'attaque-t-il à des personnes réelles ? Non, certes, car ce ne sont là que clins d'œil ironiques, secondaires, que l'on trouve chez de nombreux écrivains. Marcel Guilbert, ne serait-ce pas tout autant une caricature de La Rocque lui-même (Gilbert/Guilbert), ou une reproduction fantaisiste du comptable Marcel Guilbert dont le nom est affiché à côté de l'ascenseur que prenait La Rocque pour monter à son bureau, rue Sherbrooke ? Les attaques personnelles n'existent pas dans l'œuvre de La Rocque (pas plus que dans celle de Jacques Ferron, qui s'amusait lui aussi à mélanger subtilement réalité et fiction), même si certains critiques littéraires s'étaient sentis visés à la suite de la publication du Passager. S'il est vrai que La Rocque s'en prend à des anomalies du monde de l'édition, il prend toujours ses distances face aux personnes réelles.

Certains lecteurs ont tellement cru que Marcel Guilbert était messieurs Martel et Hébert qu'ils ont passé à côté de l'essentiel du roman. Restant à la surface, ils ont cru que Pion étripe Guilbert et étrangle sa femme. Or, il n'en est rien. L'assassinat est imaginaire. Tout comme le narrateur de Prochain Épisode, Pion n'agit pas : « L'attente s'éternisait. Il savait bien ce qu'un véritable homme d'action aurait fait à sa place » (p. 107) : agir au lieu de délirer. La scène où Pion poignarde Guilbert, quoique basculant dans la vraisemblance (La Rocque nous fait croire, par le présent de l'indicatif, que l'action se passe réellement), est imaginaire (voir les modalités « probablement », « disons », ainsi que quelques verbes au conditionnel placés stratégiquement). Même phénomène en ce qui concerne l'étranglement de Liliane : « ...cela avait eu lieu en deçà ou au delà de toute conscience, d'une certaine façon très loin de ses yeux et même de ses mains » (p. 141). Gilbert La Rocque joue superbement avec son lecteur. Pion essaie-t-il réellement de se pendre, ou s'agit-il d'un rêve ? Comment le savoir ? *Le Passager* est le roman de La Rocque qui « flotte » le plus entre réalité et fiction. Bernard Pion se retrouve « au cœur d'une fiction », entraîné par les « relents d'un mauvais rêve, d'un fantasme hideux », ou « tout n'est qu'illusion, rien qu'une infecte illusion. » (p. 65) Confronté à une écriture ludique, le lecteur risque à tout instant de se faire prendre au piège de la réalité-fiction.

Si l'on reste trop accroché à l'« action immédiate » du *Passager,* on peut se demander pourquoi le dernier tiers du roman ne renferme aucune référence à Marcel Guilbert. C'est que Guilbert est remplacé par Liliane, les deux étant la représentation du même phénomène, l'éctoplasme (l'émanation sensorielle) de la violence refoulée, source d'images intérieures dévoilant les signes de ce que Baudelaire appelle « l'immense et compliqué palimpseste de la mémoire ».

Même si l'écriture du *Passager* est maîtrisée, riche en sonorités, rythmée, le sujet du roman — la vengeance — m'apparaît parfois limité, en ce sens qu'il ne débouche pas toujours sur autre chose. Bien sûr, tout sujet est valable en soi (je pense ici à La Rocque s'émerveillant, dans une entrevue accordée à Denise Bombardier, sur le fait que Nathalie Sarraute a pu le captiver pendant une vingtaine de pages en décrivant une simple poignée de porte !). Écrire un roman sur les « duels intérieurs » que se livrent critiques littéraires et écrivains n'est pas sans intérêt. *Le Passager* m'apparaît réussi lorsqu'il débouche sur le « torrent » qui déboule dans le crâne de Bernard Pion, se soudant et se télescopant « démentiellement

avec les images issues des forces vives de son cœur » (p. 58).
L'univers intérieur de Bernard ne possède pas toujours la
complexité et les nuances de celui d'autres personnages.
Prenons Alain, des *Masques,* par exemple, dont l'histoire
dépasse l'anecdote obsessionnelle (la journalâtre) grâce aux
vibrants symboles de la mémoire. Bernard Pion, lui, est habité
par ses flambées de colère : « Marcel Guilbert...cette image
obsédante avait grossi et grossi et voici qu'il ne restait plus de
place pour autre chose, l'image torturante de Marcel Guilbert
le gênait prodigieusement et lui élançait comme une migraine »
(p. 81). Bernard nous dit que c'est la première fois de sa vie
qu'il éprouve une passion qui domine tout le reste. C'était
aussi le cas, sans doute, de La Rocque lui-même, pour qui *Le
Passager* était une œuvre de transition qui allait lui permettre
d'aller dans d'autres directions. Malheureusement, la mort est
venue l'arrêter en plein vol.

Force est de dire que *Le Passager* n'est pas axé exclusivement sur la vengeance. Cinq scènes viennent alléger le
roman. Le prologue (18 p., dont les images reviennent périodiquement dans le roman) rappellent avec virtuosité l'enfance
de Bernard. Les punks et les rockers de la rue Crescent, la
faune littéraire qui court les réceptions et les salons du livre
subissent la verve caricaturale, satirique, foudroyante de l'auteur. La rencontre avec Liliane dans un disco-bar (p. 87-94)
nous fait redécouvrir l'érotisme larocquien (sexualité olfactive).
La plume de Gilbert La Rocque peut donc brosser toutes sortes
de tableaux. Seulement, ici, hormis les scènes précédentes,
tout converge vers la rage de Bernard. Tout baigne, ou presque, dans une atmosphère de noyade. Bernard Pion est le
personnage le plus impuissant de l'œuvre de La Rocque, le
plus livré à ses cauchemars, le plus « boueux », « labyrinthique », le plus ravalé au niveau des cloportes, le plus « en
abysses ». C'est sans doute pour cette raison que l'ambiance
symbolique du roman est dominée par un élément (et non
par des décors variés), par l'eau : orages, tempêtes, éclairs,
bruines, crachins, pluies, trombes d'eau, nuages...tout ruis-
selle, pisse, et se noie. Bernard Pion tombe dans un puits

( = vagin) qui fait de lui un fœtus figé. Malgré cette tendance à l'uniformisation du décor, certains signes, travaillés avec finesse, captivent le lecteur, se greffant aux images intérieures de l'ensemble de l'univers romanesque.

### Dérapages et voyages

À chaque instant, Bernard Pion vit dans le danger de déraper dans le néant, dans la mort ou dans la folie. Il avance sur des trottoirs jonchés de feuilles mouillées. Son équilibre est incertain, hasardeux.

Lorsque les personnages de La Rocque voyagent, leurs pulsions intérieures prennent le dessus. Dans un taxi, ils ont « l'illusion d'avoir en main le contrôle des événements » (p. 151). Mais les personnages sont « impuissants comme des types ligotés sur la banquette arrière d'une voiture sans conducteur lancée à toute allure » (p. 120). Ils « s'enfoncent dans le temps comme un train dans un tunnel » (p. 202). Certains y laissent leur peau (une amie de Liliane, par exemple, victime d'une collision à trente milles à l'heure, succombant à une esquille de côte fracturée qui lui a transpercé le cœur).

La Renault 5 dans laquelle Bernard a aperçu la maison de l'oncle se métamorphose en une image qui ressuscite un bref moment de bonheur. La grosse Trans-Am rouge (couleur de la mort, chez La Rocque), conduite par un pochard, est censée amener Bernard à la maison de l'oncle. Pluie torrentielle, conducteur ivre, tout est là pour empêcher l'arrivée à la maison ; tout annonce la terrible vérité de Bernard Pion : l'impossibilité de fuir les obsessions du moment (Marcel Guilbert, Liliane). « Épuisé, halluciné, douloureux », Bernard traîne toujours « l'obsédant cadavre de Liliane qui lui élance comme un nerf enflammé, comme un abcès ». On ne se réfugie pas volontairement dans le passé. La Trans-Am dérape, heurte un arbre, et à partir de ce moment-là, Bernard sombre dans la folie. « En tournoyant et en quittant la route, il avait rencontré une zone de vide et de silence » (p. 167). Ce dernier voyage du dernier protagoniste créé par La Rocque est le plus vertigineux, le plus désespérant, de toute l'œuvre : voyage d'une mort intérieure, de la perte de ses facultés, d'une mainmise sur le réel, d'une mort réelle !

### Le canari jaune

Dans *Serge d'entre les morts,* Colette tient par les ailes un papillon. Cette scène, qui symbolise la fragilité du bonheur, prend une autre forme dans *Le Passager.* Bernard se souvient, non pas d'un papillon, mais du canari chantant que sa marraine lui avait offert pour ses sept ans. Enchanté, le jeune garçon nourrissait avec amour l'oiseau. C'était un ami qui se mettait à chanter chaque fois que l'enfant s'habillait. Puis intervient la réalité familiale. Les colères du père résonnent dans la tête de Bernard : « Veux-tu fermer ta crisse de gueule ? » Soudain, le chant du canari se confond avec les cris du père. Adulte, Bernard se revoit en train de prendre le canari dans sa main : « L'oiseau n'était qu'un frémissement tiède et doux », et Bernard le serrait de toutes ses forces jusqu'à ce qu'il eût mal dans les jointures, sentant le petit corps broyé.

Étrange mélange de tendresse et de violence, cette scène montre l'impossibilité d'isoler les moments de bonheur des événements traumatisants. Tout se relie et se transforme dans l'univers corrosif de la mémoire. Aussi le canari se mue-t-il en la femme rouge à la bouche dentée qui aspire (avale) Bernard, le projetant dans le monde des cauchemars. Bernard est devenu, en quelque sorte, le canari étranglé. Les monstres de la nuit se confondent. Broyé par ses souvenirs, Bernard s'imagine en train d'être dévoré par le canari jaune pâle (p. 150), scène qui évoque la dame aspirante à la bouche ouverte, qui évoque, à son tour, les vagins aspirants. Cette chaîne synonymique revient à la surface lorsque le personnage se fâche. Bernard s'imagine en train d'étrangler Liliane, et voilà qu'apparaît l'image du canari : « Quoi ! une femme n'est pas un moineau, tout de même, qu'on peut comme un fou furieux étrangler oui étrangler à mort rien qu'en lui serrant un peu le cou ! » (p. 140).

### L'inaccessible maison de l'oncle Émilien

Alors que, dans *Les Masques,* la maison de l'oncle, liée à la première enfance, représente un de ces rares moments de joie naturelle dans l'œuvre de La Rocque, la vieille maison du grand-oncle Émilien acquiert des dimensions ambiguës. À l'âge de huit ans, Bernard a passé trois journées merveilleuses chez son oncle sur le mont Saint-Hilaire. S'il est vrai que Bernard a découvert, pour la seule fois de sa vie, une liberté réelle (symbolisée par les herbes hautes), loin de l'étau familial et de la jungle urbaine, le toit de tôle tout de travers et le perron délabré de la vieille maison laissent prévoir la décristallisation progressive de l'image du bonheur. Adulte, Bernard s'approche plusieurs fois de la maison. En effet, un an avant que l'action du roman ne commence, il aperçoit Émilien dans son jardin. Vers la fin du roman, il voit de loin les « rondeurs puissantes du mont Saint-Hilaire » (la forme féminine est significative, la montagne étant un être sensuel tragiquement aimé, un « ventre originel », un abri où le temps ne dérange pas). La maison et le mont restent pourtant inaccessibles, car le « silence profond où le temps coulait sans doute à l'envers, où rien ne passait plus » (p. 171) n'existe chez La Rocque que dans la mort. On ne peut fermer le robinet des mauvais souvenirs. Pendant un seul instant (p. 184) — « un éclair, une lézarde foudroyante, une déchirure dans le mur du temps » —, Bernard, roulant des yeux émerveillés sur les paysages de son enfance, revit les émotions d'il y a vingt-sept ans. Mais lorsqu'il essaie d'actualiser cette vision, frappant à la porte de la maison, l'oncle n'y est pas. Le passé, pourtant si essentiel pour l'équilibre des personnages de Gilbert La Rocque, a fermé définitivement ses volets. Bernard n'a qu'à se dissoudre dans la folie, vivant jusqu'au vomissement final (les vomissures de ce « passager » étant les plus terribles de tous les romans) l'absurdité de son existence.

Au niveau des images intérieures, le dernier roman de La Rocque est plus près de la mort que les œuvres précédentes. C'est l'écho d'une ultime désagrégation, d'un pourrissement final, où le corps se vide complètement. Dernière éjaculation, dernières urines, dernières selles, dans un même mouvement typiquement larocquien, les différentes évacuations corporelles signifient étrangement vie (source de création littéraire) et mort :

> il se voyait dans le rêve (ou était-ce dans la réalité), pendu grimaçant, sans doute en érection et lâchant à terre toute son urine et tout le contenu de ses tripes ce serait écœurant ! et peut-être aussi éjaculant, déchargeant dans un dernier spasme, comme un salut burlesque, un adieu à la vie, sa semence stérile qui irait se mélanger à l'urine et au caca (p. 202)

*Le Passager* réunit les éléments symboliques les plus noirs de l'œuvre de La Rocque. Aucune possibilité de sortir des labyrinthes de l'existence : « ...il avait l'impression que jamais cette maudite rue ne les mènerait nulle part, que jamais elle ne finirait autrement que dans quelque enfouissement monstrueux et qu'ils devraient continuer comme ça jusqu'à l'épuisement total » (p. 70). Aucun répit aux images d'éventrés (ventres blancs de brochets et de truites, fœtus arrachés de la panse des caribous), aux couteaux qui s'enfoncent dans le ventre. Le poignard finlandais (que l'auteur possédait réellement !) est toujours attaché à la ceinture de Bernard. Il le sent qui « lui pèse sur le ventre » (p. 144). Il sent sa propre mort qui le traque, qui le touche. Symbole phallique — ...« il se contentait de tripoter le manche de son poignard comme un enfant timide qui joue avec son pénis » (p. 116) — le couteau-pénis rappelle aussi que faire l'amour, pour les personnages mâles de La Rocque, c'est halluciner sur le vagin originel, sur la naissance qui mène inéluctablement à la mort, sur les abysses (orifices) qui parsèment l'œuvre entière.

## Une écriture des signes prophétiques

Les deux derniers romans de Gilbert La Rocque révèlent beaucoup sur la conception de l'écriture de l'auteur, thème

devenu essentiel pour quelqu'un qui savait qu'il lui restait peu
de temps à vivre (suite à un examen médical, La Rocque soup-
çonnait, depuis deux ans environ, qu'il avait une tumeur au
cerveau). La tumeur a finalement éclaté au Salon du livre de
Montréal, un dimanche après-midi fatidique du mois de
novembre 1984. Plusieurs personnes ont été témoins des
symptômes : pression terrible dans la tête ; vomissements
prolongés ; perte progressive de tout contact avec la réalité ;
délire (transporté chez lui, il se croyait au Mexique, devenant
en quelque sorte deux de ses personnages qui rêvaient d'aller
dans ce même pays). Or, il suffit de lire *Le Passager* pour
retrouver des descriptions incroyablement exactes des dernières
souffrances de Gilbert La Rocque (p. 56, 60, 68, 69, 121, 137,
139, 169, 172, 204). À relire aussi les trois dernières phrases
du roman : « Ils le chargeaient dans l'ambulance. Il dormait,
le visage blême, paisible, presque sans respirer. Il avait l'air
d'un cadavre qu'on mène au cimetière. »

Avant de mourir, Gilbert La Rocque nous montre une
dernière fois ce qu'il considère comme l'aspect le plus important d'une œuvre de fiction dont le principal mérite ne serait
pas d'être « aisément compréhensible » (p. 43) :

> ...en arrière plan des voix, des gestes et des odeurs, une
> vertigineuse enfilade qui représentait ce qu'il avait été, en
> fait des vestiges persistants, des signes profondément
> gravés, que rien ne saurait abolir, même les avanies du
> temps et de la vieillesse, même la décrépitude la plus
> avancée, même la déchéance la plus totale et la plus
> abjecte, et que seule la mort pourrait probablement
> anéantir — et encore, cela restait à prouver. (p. 191)

Romancier des profondeurs, La Rocque laisse, comme le
souhaitait en vain Bernard Pion, écrivain raté, « une trace, un
peu de soi qui revivra chaque fois qu'un lecteur ouvrira le
livre » (p. 190).

* * *

Dans ses six romans, Gilbert La Rocque poursuit une traversée intérieure du pays et du corps. Le Québec est vécu telle une blessure : complexes hérités d'une société théocratique ; milieux ouvriers qui ne laissent aucun répit à la fatigue et au stress ; villes polluées et polluantes ; crises politiques apparemment sans issue ; élites intellectuelles qui se jalousent et s'entre-déchirent ; société capitaliste où le profit et la médiocrité tendent à l'emporter sur la qualité et la finesse. Les personnages de La Rocque sont donc inévitablement des maladaptés. L'œuvre profère des vérités décourageantes : la fin ultime de tout, des individus, des collectivités, des civilisations.

Le romancier fait appel à des mécanismes affectifs, archétypiques, aussi puissants que mystérieux. Corridors, masques, rites de passage et de voyage se greffent sur la mythologie universelle ; surgit aussi une mythologie plus personnelle axée sur les abîmes (vagins, bouches, cuvettes, puits), sur le nombril, sur le ventre, sur les instruments tranchants.

Dans un interminable cauchemar naissent et disparaissent les images de désespoir : boue et neige ; pourriture, décomposition, rouille et maladies rongeuses. Rats, chiens galeux, veaux effrayants, poissons éventrés, oiseaux étranglés et insectes inquiétants hantent les personnages. Mais une profusion de signes plus encourageants clignotent aussi dans le ciel intérieur de Gilbert La Rocque : une cage d'oiseau, une montagne, un mont, un arbre, des paysages du Bas-du-fleuve, une rivière, autant d'images insaisissables d'un bonheur éphémère.

Les romans de La Rocque s'ouvrent, à travers un jeu combinatoire de références, sur la construction d'un univers romanesque de grande envergure, sur une tapisserie où les motifs se mêlent harmonieusement, bercés par une phrase longue, mélopée épousant un rythme incantatoire. L'auteur décolle constamment de la réalité banale. Virant au fantastique, son œuvre se dévoile dans le miroir des rêves.

Donald Smith

# Une rhétorique efficace

La pratique de l'écriture chez Gilbert La Rocque diffère tellement de celle de la plupart des romanciers québécois qu'il m'est apparu important d'y consacrer une étude spéciale. Cette raison justifierait à elle seule les commentaires qui vont suivre. Afin, toutefois, de limiter mon analyse à des proportions raisonnables, j'ai choisi d'aborder un seul roman, représentatif de tous les autres. Il m'a semblé, en effet, qu'*Après la boue* offrait les marques les plus propres à suggérer une typologie de l'écriture larocquienne. J'éviterai ici tout recours — même rassurant — à un vocabulaire spécialisé ou à une approche théorique déterminée, me laissant plutôt guider par le plaisir d'une rare qualité que j'ai éprouvé à la lecture de cette œuvre qui confirme en son temps le talent du romancier en pleine possession de ses moyens, avant que ne paraissent ses trois autres remarquables romans, *Serge d'entre les morts*, *Les Masques* et *Le Passager*.

## La structure générale du récit

Le récit/roman s'ouvre par le mot « Puis » qui signale que l'histoire est commencée. Il est partagé en trois parties clairement identifiables, même si aucune marque extérieure, sinon un espace blanc, n'annonce le changement de décor. En effet, c'est le décor qui signale l'évolution chronologique du récit et qui fait en sorte que l'intrigue progresse à coup sûr. Une jeune femme de trente ans, lassée des assauts sexuels répétés de son « céleste mari » (p. 23), le quitte, soudainement excédée, à bout de nerfs. On assiste, dans cette première partie, à la lente progression de l'écœurement physique et du dérangement mental de Gabrielle qui semble lassée de tout, de Roch surtout, alors qu'elle se doute peu à peu qu'elle est enceinte, ce qui la conduit aux frontières de l'angoisse. Pour rendre plausible cette progression vers la folie, le narrateur/la narratrice laisse entendre que Gaby tente de recoller les bribes plus ou moins cohérentes de ses souvenirs rappels évocations en livrant au psychiatre qui l'écoute une série de flashes qui traversent comme des éclairs son cerveau malade : « Non... Je vais trop vite... c'était avant : je veux parler encore de mon mari... » (p. 22). La parenthèse de la page suivante est tout à fait révélatrice à cet égard : « (Je voudrais tout dire, maintenant je suis capable de tout dire, c'est si bon de parler, c'est si facile de parler) » (p. 23). Cela nous reporte loin en avant, après l'écœurement quotidien, après l'avortement, après la boue, à la fin de la troisième partie, dans une chambre de l'hôpital psychiatrique : « et je ressentais le besoin de raconter mon histoire il fallait que je m'en délivre il fallait que j'en accouche et parler au docteur Narcix ne me suffisait plus et j'accrochais d'autres malades et je racontais l'histoire de Gabrielle je réinventais l'histoire de Gabrielle » (p. 205).

L'organisation du récit est donc constituée d'incessantes remontées dans le souvenir disposées selon l'ordre éminemment capricieux des réminiscences que le romancier/narrateur prend quelquefois soin de souligner : « Mais on vit on a vécu, et il n'en reste pour ainsi dire plus rien. Rien que soi au bout de son ridicule fil de souvenirs... Tout est si décousu dans ma tête !... Fragments, ma chronologie coupée en tronçons, morceaux de temps mort qui me déferlent en vrac dans la tête, dépotoir de mon temps vécu... » (p. 15). Plus loin : « Semblant de chronologie. Essayer encore... Autrefois... Non... Ce sont les maillons d'une longue chaîne, l'un entraîne l'autre, tirer sur un bout, tout vient ensuite, facile de tout dire... » (ibid.). Cette « remontée [...] vertigineuse dans les eaux noires de son passé » (p. 78) s'accomplit donc au moyen d'écheveaux de souvenirs qui se débrouillent pourtant très facilement, malgré un enchevêtrement en apparence inextricable, et grâce aussi aux rappels obsessionnels des instants de crise et au résumé succinct présenté par la narration vers la fin du roman : « il y avait la face de tante Éva et les mains de mon oncle Émilien et les gros yeux de fœtus et la verge gonflée de Roch et la tête sanglante de mon père et tout cela vivait hideusement dans cette nuit sans aube puis c'était encore le médecin je lui racontais ma vie et cela me soulageait » (p. 204). Que ce récit se déroule en segments fragmentés, qu'« il manque des chaînons » (p. 18), cela confirme naturellement son aliénation mentale : « ma tête, sphère creuse où s'agitaient mes pensées dérisoires pépins ratatinés, images et sons déboulant chaos jusqu'au plus profond de moi, mille choses lousses dans ma tête, avec ces cloches sonnant tocsin fou dans mes oreilles... » (p. 22). Elle répétera en racontant la scène de la fuite : « il y a des trous dans le temps et dans ma tête » (p. 76). Obsession de la lucidité, obsession de l'instant fatal, obsession de la mort...

De la première à la deuxième partie, la transition est ménagée sans effort : Gaby vient de quitter brusquement son mari, hèle un taxi et se fait conduire rue de la Végétation. Retour chez ses parents... Déjà pourtant la plupart des pièces du puzzle ont été rassemblées, au gré des souvenirs, donc sans ordre temporel, dans la première partie : on y a appris la majorité des scènes qui seront reprises dans les deux autres parties : la crainte de Gabrielle dans sa chambre, le soir, quand elle était toute petite ; la visite chez la grand-mère paternelle, visite qui se termine abruptement (et l'arbre qu'elle coloriait en vert et rouge) ; l'oncle Émilien la tripote en se masturbant ; plus tard, elle quitte son mari et retourne chez ses parents ; elle s'avorte dans la baignoire ; elle frappe son père ; Gloria Patry l'initie à la masturbation ; elle raconte une journée de travail ; puis sa nuit de noces ; puis ses premières règles ; revient à sa journée de travail chez Federal Shoe, détaille sa sortie dans les magasins avec ses deux amies Aline et Mireille, le coup de téléphone à Roch, l'indigestion, la crise de nerfs au restaurant, la rentrée à la maison, la querelle verbale avec Roch et la fuite.

Le récit se poursuit à la maison (si peu) paternelle de la rue de la Végétation [Visitation] qui provoque deux retours en arrière importants : les crises d'épilepsie de Ti-Nesse et l'abattage de l'arbre situé devant la maison. Après le rapport circonstancié qu'elle présente à sa mère des faits qui ont conduit à sa fuite, elle épuise les jours en tournant dans la maison comme une âme en peine. Ses longues heures de solitude lui rappellent quatre événements qui l'ont marquée : le rôdeur dans la cour, l'abattage de l'arbre (symbole évident de la castration souhaitée de son père, qu'elle réalisera partiellement par sa mutilation), l'accident qui a rendu son père aveugle et le billet rose sur lequel, toute jeune, elle avait écrit, presque automatiquement, cette phrase : « Je voudrais que tu sois mort » en l'appliquant inconsciemment à son « géniteur ». Cette fois, les événements se précipitent : c'est la visite chez le gynécologue qui lui confirme qu'elle est enceinte. Devant le refus du médecin de l'avorter, dans un moment passager d'aliénation, elle le mord à la main. De retour à la maison, elle se livre à toutes sortes de réflexions, assiste à un vorace repas familial où l'on mange du père, éprouve la tentation du suicide et, finalement, s'avorte dans la baignoire avec une aiguille à tricoter.

Même scénario, ou presque, dans la troisième partie, où l'on constate, grâce aux réflexions accumulées, le progrès rapide de l'aliénation mentale. De la chambre d'hôpital où elle relève de son avortement jusqu'à l'internement final, encore une série de flashes qui présentent, dans le désordre, les signes avant-coureurs de la folie (sa tante Éva, la folle, ivre, se promène nue dans la cour en vociférant) en même temps que les griefs amoncelés contre son père (celui-ci tente de minimiser l'affront que sa mère a infligé à sa femme). La visite que rend Gaby à sa tante Pauline lui fait rencontrer sa jeune cousine Nathalie qui, elle, a eu le courage de remettre son père à sa place... Pendant le trajet du retour, elle vit des moments d'« ivresse singulière », de « bizarre euphorie » qui la prédisposent au « geste liturgique » qu'elle va poser en frappant son père aveugle à coups de canne. Les quinze dernières pages sont significatives du dérapage mental de Gabrielle et, dans leur mouvement irrésistible, indiquent qu'elle va sombrer dans la folie, « dérapant et glissant d'une pensée à la suivante sans pouvoir rien retenir ou utiliser » (p. 193). Tout était donc annoncé et prévu dès la première partie. Le déroulement se fera donc inéluctablement. Une force incoercible, irrépressible tire la protagoniste vers l'abîme, entraîne même le lecteur dans son sillage fatal. Les moments d'exaltation et de fièvre, d'emportement et de violence alternent et contrastent d'une façon saisissante avec le harassement quotidien de la chaleur, de la fatigue, de l'écœurement, du travail-machine, des instants de lucidité tranquille ou de calme nébuleux d'un cerveau malade.

## Le dédoublement du narrateur/personnage

Le dédoublement du narrateur (de la narratrice) est une des caractéristiques du roman *Après la boue,* car il sert à présenter une histoire brouillée par la folie, tantôt comme si parfois Gabrielle se racontait devant le psychiatre, tantôt comme si parfois quelqu'un (le psychiatre ou un autre narrateur/une autre narratrice) répétait en écho l'histoire de la vie de Gabrielle. La frontière qui sépare cette narration dédoublée (mais l'est-elle vraiment ?) est la plupart du temps ténue puisque le narrateur/la narratrice alterne sans transition du *je* au *elle,* à tel point que le lecteur n'est pas dupe. Il n'éprouve pas l'impression de changer de narrateur/narratrice, seulement d'assister à son dédoublement, comme si Gaby souhaitait mettre une distance entre elle et sa folie, entre elle et les manifestations honteuses (du moins le croit-elle) de son déséquilibre psychique : le refus de l'acte physique avec Roch, l'avortement avec l'aiguille à tricoter, la mutilation de son père, toutes formes d'égarement incontrôlé(able) qu'elle est forcée d'expliquer comme en une sorte de justification humiliante. Sa confession alterne ainsi : « puis Gabrielle se tourna sur le ventre oui je me sens moins vulnérable ainsi, j'étais étendue raide sur le ventre » (p. 7) ; « j'attendais le sommeil oui Gabrielle attendait le sommeil »

(p. 8) ; « j'étais couchée Gaby était couché avec son mari Roch cher mari gros chéri soufflant sexe » (p. 18) ; « alors j'étais assise Gaby était assise avec la baignoire vide » (p. 20) ; « je flottais Gaby flottait dans un demi-sommeil » (p. 23) ; « et je marchais Gaby marchait vite » (p. 178). Voilà donc des marques évidentes de schizophrénie, bien plus que de changement véritable de narratrice ou de focalisation narrative. Cette explication, complétant la première que j'ai suggérée, pourrait être accompagnée d'un exemple légèrement différent, divergent : « cela la frappait brutalement comme une crise d'épilepsie, et elle aurait voulu que cela dure toujours, oui je suis bien, un peu fatiguée oui, mais pas plus, elle avait même envie de chanter » (p. 180). On y voit hors de tout doute une réponse au médecin qui s'inquiète de son degré de fatigue lors d'une séance de psychanalyse où Gaby semble parler d'elle à la première ou à la troisième personne sans pouvoir faire la différence ou se rendre véritablement compte de cette oscillation. En somme donc, il n'y a pas vraiment dédoublement du personnage, ni dédoublement de la narration (ce qui ne doit pas être confondu avec les répétitions narratives, mais deux états parfois successifs, le plus souvent superposés, d'un même narrateur/d'une même narratrice/personnage causés par un brouillage momentané du récit engendré par son instabilité psychique. Cela revient à représenter sommairement ainsi le procédé :

De cette façon, il n'y a pas de vrai changement de focalisation, mais plutôt un changement ou un brouillage de signification.

## Le déroulement de la phrase

Si la phrase obéit dans son déroulement au trouble intérieur qui secoue Gabrielle, il est clair qu'elle adopte ici l'allure d'une sorte de confession psychiatrique prononcée à mi-voix,

confession qui épouse à son tour le ton du monologue intérieur. Chargé d'émotion, celui-ci traduit les angoisses qui
conduiront une personne au désordre mental. Différents
procédés stylistiques servent à rendre efficacement ce drame
intérieur : l'emploi de parenthèses, l'absence fréquente d'articles, l'usage étendu des infinitifs et des participes présents,
enfin une utilisation particulière de la ponctuation alliée à l'emploi généralisé de la coordination et de la juxtaposition de
préférence à la subordination.

Examinons d'abord ce dernier procédé. Une femme en
difficulté, qui a subi un grave trouble psychique, déroule le fil
de sa vie, soit les conditions de son existence qui l'ont conduite,
directement ou non, jusqu'à la crise. Son discours doit reproduire les difficultés éprouvées en même temps que retracer
fidèlement une narration parfois monocorde, parfois passion-
née, selon les circonstances. La phrase adopte un débit lent
ou saccadé et s'articule le plus souvent au moyen de conjonc-
tions de coordination telles *et, mais,* ou de l'adverbe plusieurs
fois répété, *puis,* ou simplement de la virgule. Il faudrait citer
de nombreuses pages exemplaires du roman pour confirmer
mon propos. Résumons-nous à deux passages situés à des
endroits éloignés du récit : « *et* moi j'étais contente *et* moman
dit : « Gabrielle, salis pas ta belle robe blanche » ... *et* Gabrielle
n'avait pas sali sa robe neuve, elle avait apporté son cahier *et*
elle coloriait un arbre, elle était assise par terre dans la cuisine
*et* le plancher de grand-mère était [...] » (p. 9) ; « elle pose ses
deux mains sur son ventre, comme pour le cacher, *puis* les
enlève, *puis* se palpant encore mais en douceur cette fois,
l'effleurant à peine de ses paumes et du bout de ses doigts,
une peur ignoble bavait en elle, *ou* une étrange répulsion, *puis*
dans le miroir de la commode elle vit son visage, cette bouche
tordue ! non ce n'est pas moi !... *puis* elle souriait, elle regardait
son sourire de plâtre, *puis* elle se détourna et passa son peignoir,
*puis* revenant vers la commode, elle respirait fort » (p. 139).
Le premier extrait précède un cauchemar de Gabrielle enfant
qui tarde à s'endormir, effrayée qu'elle est par un rôdeur ; le
deuxième précède son avortement. La parenté des situations

est évidente en raison des émotions qu'elles suscitent. Il reste, toutefois, que le procédé est repris d'une façon continue et qu'il semble donc qu'il tienne de l'angoisse de l'aveu et de la précipitation des images qui se pressent dans la tête de Gabrielle et qui les lui font placer bout à bout dans une sorte de dévidoir sans fin.

La ponctuation souligne les effets recherchés. La virgule marque une légère pause, selon la fonction qui lui est habituellement assignée, ou bien permet à la phrase de reprendre son élan ou de s'allonger d'une façon filiforme, progresse le plus souvent en juxtaposition d'idées, de faits ou d'images. Une ponctuation, cependant, est privilégiée par l'auteur, c'est le point de suspension. Celui-ci manifeste soit l'hésitation, l'incertitude ou le suspense, soit des réflexions décousues, soit un changement de scène, le plus fréquemment d'une scène suivie d'une analepse, donc d'une scène vécue antérieurement. La précipitation du flot d'images peut même faire en sorte que la ponctuation soit supprimée pour suggérer une accélération du récit provoquée par un accès d'émotion : « un soir que je me déshabillais un visage blême était apparu là dans ma fenêtre c'était un homme c'était un rôdeur de nuit noire il me regardait enfant nue et mon cœur s'arrêta non mon cœur ne battait plus j'étais glace et pierre puis je criais je criais ah oui dans la cour il faisait noir affreusement et popa avait accouru tout pâlot » (p. 8) ; ou bien : « oh les jouissances sordides les radieuses infâmies dans les recoins sales parmi les chiffons sentant la chair en sueur râler de plaisir dans les fonds de cours parmi les vieux papiers et les poubelles et les rats crevés et les matelas moisis et les flaques de pisse encore tiède s'y rouler se vautrer dans les odeurs d'ammoniaque et les émanations grasses des excréments fermentant au soleil dans le vrombissement des mouches vertes nos membres entremêlés s'étreindre jusqu'à l'orgasme c'est abject c'est dégoûtant mais c'est bon à en mourir ! » (p. 94). Quant au déplacement de la ponctuation, il devient un procédé franchement mimétique à deux reprises et traduit par son arythmie un ralentissement respiratoire causé par une forte dépression nerveuse : « non,

ce n'est rien, ce, n'est, rien... c'est, encore les, nerfs, oui c'est
les, nerfs qui me, poignent c'est pas, grave, c'est pas grave ça,
va, passer il faut, penser à, autre chose !... pas peur, mon p'tit
fœtus, on, te fera, pas mal... » (p. 139) ; « non non, pas peur,
fœtus, ça ne peut pas te faire de mal, un peu de chaleur ce,
n'est pas, grave, mais c'est bien trop chaud pour aller, travailler, pfiou ! [etc.] » (p. 198). Dans les deux cas, ainsi qu'on
l'aura remarqué, la crise est causée par la crainte de Gaby de
perdre son enfant. Dans le deuxième cas, cependant, l'avortement a eu lieu (de même que la mutilation du père) et c'est
son sentiment de culpabilité qui refait surface.

Ces emplois inusités inhabituels insolites de la ponctuation trouvent un renforcement dans celui de la parenthèse.
Incontestablement, ce qui est hors parenthèse appartient, à
des degrés divers, à la narration, tandis que ce qui s'y trouve
enfermé relève de la réflexion ou du monologue. Dans un
premier groupe de cas, Gabrielle se donne la parole à elle-
même, pour émettre une réflexion intérieure : comme sa mère
entrait « dans son imperméable ruisselant, elle sentait mouillé
(il ferait bon, un peu plus tard, lorsqu'elle cuisinerait le souper,
d'aller embrasser ses mains chaudes qui sentiront les oignons
et la peau) » (p. 106) ; au docteur Médullaire qui lui demande :
« Vous n'avez pas de nausées, le matin ? » Gabrielle « répon-
dait machinalement à ses questions (je suis enceinte) » (p. 117),
répète-t-elle à deux reprises dans son for intérieur. Dans une
violente diatribe dirigée contre sa famille, elle apostrophe en
esprit son oncle Émilien : « (je sens encore tes mains sur ma
peau [...]) » (p. 153). Ou bien c'est l'aveu au psychiatre : « (je
me souviens que sa canne était fraîche et lisse dans ma main
et que je pris le temps de la soupeser [...] mais déjà j'esquissais
un grand moulinet avec sa canne blanche et il hurla faible-
ment) » (p. 186). Ou bien elle avoue à Gloria en parlant de
son mari : « ...non, je te dis, je pouvais plus y voir la face !... »
Et rangeant ses vêtements, elle riposte encore : « (je pouvais
plus y voir la face !) » (p. 90). Ou bien elle reproche à sa mère
qui l'entraîne fermement par la main après s'être querellée
avec sa belle-mère : « (moman, tu me fais mal !) » (p. 159).

Comme son père « ne veu[t] rien savoir de [leurs] maudites manigances ! », elle se sent « envie de faire quelque chose » : « (fais pas ça, Gaby !) » (p. 88), se prévient-elle tout bas. De même, lorsqu'elle repense à l'« abdication totale », à la « lâcheté perpétuelle » de son père, elle tente de se contenir : « (arrête, Gaby, tu exagères) » (p. 128). Au cours d'une réflexion amère sur fœtus, il lui prend « envie de se déchirer et de le déchirer lui le si faible oui lui fœtus avec ses gros yeux ronds de petite pieuvre lui tordre la gélatine comme ça » (p. 138). Encore une fois, elle essaie de repousser la tentation : « (arrête de penser à ça, Gaby, arrête, ça va mal tourner, pense à ce qu'a dit le docteur, tu sais bien…) » (p. 139). Notons que, parfois, la réactualisation des faits par le récit semble, par l'intervention de l'écrivain, placer Gabrielle à la troisième personne, mais cela ressemble plutôt à un effet d'optique, sorte de distorsion obligée du discours qui se raconte.

Dans les autres cas, elle (ou le narrateur) donne la parole à Roch qui morigène Gaby au téléphone parce qu'elle n'est pas encore rentrée (p. 56-57) ; au père qui profère des menaces de croquemitaine à Gabrielle qui tarde à s'endormir : « *(t'es mieux de dormir pis de pas dire un mot parce que tu vas voir ça que le guenillou va venir te poigner)* » (p. 7, souligné dans le texte) ; à la mère qui donne raison à Gaby d'avoir fui le foyer : « (pauvre p'tite fille ! t'as bien fait !) » (p. 87) ; à un infirmier qui commente d'une manière sordide la mort d'une patiente (p. 145) ; à un inconnu qui tente de la retenir lors de sa crise à la gare centrale (p. 199) et à des personnages anonymes commentant sa mort présumée (p. 137).

## Syntagmes et attributs

Un des procédés de style les plus courants de ce roman consiste en la suppression de l'article (défini ou indéfini) après les verbes, surtout après « c'est » et « fait », d'une façon générale après un verbe impersonnel, de même aussi qu'après un verbe d'action. Les syntagmes ainsi formés échappent à l'expression courante et créent un effet de littérarité original résultant des fonctions de juxtaposition ou d'attribution que l'écrivain prête aux substantifs et aux adjectifs ainsi utilisés sous forme de crases ou de raccourcis. Car souvent, on pourrait aisément suppléer un mot tel que « comme » ou remplacer l'adjectif par un adverbe : « le soleil pétait poudre de feu dans les rideaux de coton blanc » (p. 9) ; « vous êtes machine » (p. 50) ; « les lampadaires crachaient pâle » (p. 80) ; « ça bougeait étrange » (p. 83) ; « vous errez spectral » (p. 51) ; « les autos [...] coulaient magma dans la rue » (p. 46) ; « ça marche épais sur la Sainte-Catherine, ça flue viandesque » (p. 59) ; « ça s'agglomère compact » (p. 133) ; « c'est moi qui plonge bolide à travers [le temps] » (p. 144) ; « il pleuvait déluge » (p. 105) ; « marchant mou » (p. 177) ; « germez tigez printemps » (p. 178) ; « le ciel chavirait bleu » (p. 193). La pensée devient pour ainsi dire plus compacte de cette manière, plus ramassée, comme avec les verbes « être » et « faire » employés impersonnellement : « c'était miroir on aurait pu manger à terre » (p. 9) ; « c'était soudain silence » (p. 10) ; « c'est fournaise » (p. 13) ; « c'était fœtus » (p. 20) ; « il faisait août, soleil à mourir » (p. 22) ; « c'était août » (p. 23) ; « il faisait vacances sur la ville » (p. 29) ; « il faisait multitude, agglomérats, on suffoquait resserré comprimé » (p. 44) ; « c'est vertige c'est agonie de le comprendre parfois » (p. 51) ; « il fait matin d'octobre » (p. 123) ; « il y fera glauque » (*ibid.*) ; ou enfin dans l'expression « elle marchait sud » (p. 177), dont il est facile de suppléer les mots manquants.

Ainsi donc la suppression d'articles ou de mots liens considérés comme connus fait progresser rapidement le texte en lui imprimant un mouvement d'accélération interne que le lecteur agrée facilement, content même de retrouver le procédé repris à plusieurs occasions. Ce procédé rhétorique, qui sent à peine l'effort tant il semble naturel, détermine — et parfois surdétermine — un style d'écriture tout à fait personnel, difficilement transposable ou imitable par d'autres écrivains.

## La synonymie

J'ai eu l'occasion de rappeler ailleurs (entre autres dans la revue *Québec français,* n° 48 (décembre 1982), p. 30) l'emploi généralisé de synonymes (approximatifs, car chacun sait qu'il n'existe pratiquement pas de synonymes parfaits) successifs, juxtaposés sans aucun signe de ponctuation. Il semble évident que le rapprochement spontané de mots presque synonymes traduit l'intention arrêtée du romancier de proposer deux (ou parfois trois) sens qui se complètent et se renforcent. Les lecteurs de Gérard Bessette et de Gilbert La Rocque auront noté que les deux romanciers emploient ce procédé rhétorique avec le même bonheur. Il ne saurait être question de citer tous les passages car ils sont si nombreux que les repérer fait partie du plaisir de la lecture. Rappelons pour mémoire les plus caractéristiques : « tous les autres rient glapissent euphoriques » (p. 15) ; « son oncle la fouille explore frénétique » (p. 17) ; « elle aimerait mieux qu'il [...] la déchiquète écrabouille sur place » *(ibid.)* ; « pour frapper enfoncer meurtrir » (p. 19) ; « voyez fondre se désagréger couler cette chair » (p. 45) ; « les autos grondaient filaient fulguraient » (p. 46) ; « ça râle exsude bave dans les oreillers » (p. 144) ; « m'ausculte palpe manipule dans tous les sens » (p. 148). L'auteur, en procédant de cette façon, non seulement complète et renforce le sens des mots, mais montre également le progrès des actions. Les vocables surgissent naturellement sous la plume du romancier en étalant progressivement l'action dans son déroulement immédiatement chronologique, dans la décomposition au ralenti de chaque geste, parfois aussi conduisent à une précision plus grande, à une nuance plus raffinée de la pensée et de son expression.

À ce titre, il n'est pas inutile de souligner l'abondance des participes présents placés en apposition ou en juxtaposition, signifiant nettement une action en développement, selon le sens de la « forme progressive », dont l'emploi était fréquent au XVIe siècle imitateur de la langue latine : « linge glacé dans mon visage, waiter m'épongeant le front d'une main dure, puis

Aline lui arrachant le linge des mains, elle me baigne avec douceur le front et les tempes » (p. 61) ; « Éva la folle [...] à tue-tête clamait des chansons à boire et des cantiques de Noël et sautillant sur place et titubant dans le noir et gambillant sec et gueulant toujours et bavant expectorant d'épais crachats spumeux et forcenée vous frottant [*sic ?*] un bout de gigue simple » (p. 158). L'infinitif connaît lui aussi des emplois inusités comme : « mais c'est une bonne chose de se décharger le cœur, même si vomir après » (p. 63) et « j'aime mieux me promener dans le corridor, au moins on se sent un peu plus libre de crever ou pas, comme si choisir ! » (p. 145). Puis la diatribe dirigée contre son frère Ben : « un notaire, faut que ça parle bien, langage châtié, impressionner la clientèle, puis le standing, important ça ! exactement s'intégrer dans son milieu social, bien se greffer parmi les fils à popa » (p. 133) prolonge le sens des participes. On trouve d'ailleurs l'alliance fort significative des deux « parties du discours » : « achetez votre poison en tranches, vitamines synthétiques ajoutées, mourir le ventre plein, charlatans remplacer la nature à moitié morte apprentis sorciers bouleversant tout et laissant un jour notre planète déserte » (p. 181).

Que d'autres aspects de la rhétorique et de la stylistique du roman ne reste-t-il pas à explorer ! À titre indicatif, certaines apostrophes semblent prendre à témoin ou à partie un interlocuteur direct (le psychiatre) ou indirect (le lecteur) grâce à un *vous* que l'on pourrait peut-être qualifier d'hypocoristique : « oui c'est vrai on est drogué, c'est la boue quotidienne qui vous clapote dans la tête et qui chuintante vous enlise et vous suce comme une nouille, vous êtes machine [...] » (p. 5-51) ; « oui sentir intensément sentir la vie qui impétueuse avec tumulte bouillonne en vous et qui grossit et déboule en vous et vous arrache emporte formidable comme un torrent au dégel et subitement vous croyez comprendre vous comprenez tout et vous ne comprenez rien [...] » (p. 177-178). De même, enfin, le choix des mots exprimant violence et agressivité détermine les réactions de Gabrielle et les diatribes qu'elle lance aux quatre vents contre sa parenté, le sexe, le travail, la boue quotidienne, la vie. Tout cela forme un ensemble d'une rare puissance, d'une rare unité et d'une superbe efficacité, qui font la trame des chefs-d'œuvre.

Au terme de cette rapide étude portant sur l'écriture du roman *Après la boue,* une évidence s'impose : il existe dans cette œuvre une exacte concordance entre le discours et le récit. Gilbert La Rocque y manifeste une telle maîtrise de ses moyens qu'il s'efface derrière le personnage féminin, qui occupe toute l'avant-scène. Le débit de l'histoire, le choix des mots, la pensée et le style qui dérapent, surtout le sens profond des traumatismes de l'enfance, qui resurgissent à l'âge adulte, tout cela est dit répété remâché par une femme. Ce roman constitue une réussite de premier plan que de nouvelles études, dépouillées de critères esthétiques discutables, devraient remettre en valeur.

Gilles DORION

Note : toutes les références sont faites selon l'édition originale de 1972 aux Éditions du Jour.

# Gérard Bessette, lecteur de Gilbert La Rocque

> La disparition de Gilbert La Rocque me frappe comme un coup de massue en plein crâne. [...] Gilbert [...] était mon ami intime en plus d'être mon éditeur [...]
>
> G.B., dans *Le voyage au bout de la vie* (fascicule d'hommage à La Rocque, publié par Québec/ Amérique, février 1985, p. 4)

L'homme de la cinquantaine rencontre (je suis tenté de dire : invente) un jour son semblable, de plus de vingt ans son cadet, qui pourrait donc être son fils. Ils deviennent amis, d'une amitié sans éclipse et qui ne cessera de grandir. Au rythme des livres publiés, des lettres échangées, des contacts bien occasionnés, leur relation s'approfondira dans une chaleureuse réciprocité, d'écrivain à écrivain, d'auteur à éditeur, d'homme à homme. Chapitre d'histoire humaine chevauchant et débordant le chapitre d'histoire littéraire, qu'illustreront à point nommé témoignages et documents... Or tout cela, côté Bessette, commencé par la lecture et développé jusqu'à l'excès dans la lecture, a duré toujours avec la lecture et devra désormais chercher sa permanence dans la seule lecture.

Au premier tiers des années 70, le critique de *Trois romanciers québécois,* fort occupé à ce moment du premier Victor-Lévy Beaulieu, découvrait à son heure l'étoile nouvelle de Gilbert La Rocque. S'il n'en a rien écrit publiquement à l'époque, je me souviens néanmoins de conversations où il en parlait volontiers, comme d'une valeur hors de l'ordinaire. Il allait consacrer la moitié d'un cours universitaire (maîtrise et doctorat) de l'année scolaire 1975-1976 à étudier *Le Nombril, Corridors* et surtout *Après la boue.* C'est dans le cadre de ce cours que fut préparé par une étudiante, Els Post-Pieterse, l'article intitulé « Vers la découverte de l'identité : les trois premiers romans de Gilbert La Rocque » (paru, après les délais coutumiers, dans *Voix et images,* vol. III, no 2, décembre 1977, p. 277-301), qui examine en détail les variations pronominales (je, tu, il, elle, on, nous, vous, elles, ils) dans les différents récits. Sans du tout minimiser les trouvailles de l'étudiante, on peut reconnaître entre autres dans ce texte, comme en un miroir, bien des traits caractéristiques du maître, depuis le dessein fondamental de chercher la signification de l'œuvre dans les nuances de la forme, jusqu'au parti d'exploiter la continuité d'un roman à l'autre, en dépit du changement des protagonistes, et de rester ouvert en conclusion sur une suite, d'ailleurs déjà présente au moment de la parution effective de l'article.

*Serge d'entre les morts* était en effet sorti au printemps 1976. G. Bessette, qui finirait par accumuler cinq cahiers de notes sur ce roman (*Sem.,* p. 155)*, l'avait lu sans retard et avait commencé de l'assimiler, au sens le plus strict du mot. Il l'aurait à coup sûr inscrit dès l'automne à son programme de cours, s'il n'avait pas dû, cette année scolaire-là, être en congé, absorbé par la composition des *Anthropoïdes* qu'il voulait achever. Ce n'est donc qu'en 1977-1978 que *Serge* fut offert en pâture aux étudiant(e)s bessettien(ne)s, et même fallut-il attendre au trimestre d'hiver, parce que le professeur dût être remplacé presque tout l'automne en raison d'une dure maladie (chlamidiæ) dont il traîna encore les séquelles jusque passé le printemps. En vérité la « lecture » (il faut ici entendre

---

* J'indiquerai ainsi entre parenthèses dans le texte toutes mes références au roman de G. Bessette, *Le Semestre,* Montréal, Québec/Amérique, 1979.

le terme au sens anglais aussi bien que français) de l'œuvre larocquienne se fit dans des conditions incroyables de troubles provoqués par les drogues abrutissantes (tétracyclines) qu'il fallait ingurgiter contre l'infection, mais on peut tout aussi bien se demander si l'expérience de certains états seconds n'a pas en définitive été propice à une pénétration plus saisissante, en disposant le critique à s'identifier par un jeu de coïncidence onirique avec les personnages des romans et davantage encore avec leur auteur. Toujours est-il que ce trimestre épique allait, comme chacun sait, passer corps et biens dans *Le Semestre,* l'un des plus importants jalons de l'œuvre bessettienne, élaboré l'année suivante (1978-1979) et paru à la fin de 1979.

J'y vois pour ma part l'une des réalisations les plus originales de roman du roman, à cette qualité particulière, par rapport aux modèles classiques du genre, que ce qui est mis ici en abyme n'est pas rien qu'un vague projet, simple prétexte à réflexion fonctionnelle, mais un roman fait, existant *a parte rei : Serge d'entre les morts* d'un auteur authentique dénommé Gilbert La Rocque, qui sera du reste très abondamment cité. L'entreprise née d'un cours universitaire aurait pu aboutir à une étude du type habituel, comme celles qu'on peut trouver chez G. Bessette dans *Une littérature en ébullition* ou *Trois romanciers québécois.* « Lorsque je fais (censément) de la critique (psycho-), dit à propos Omer Marin le spéculaire, protagoniste du *Semestre,* quelle différence y a-t-il entre mon texte et un texte romanesque sauf que le premier est entrelardé de citations ? » (*Sem.,* p. 175). On ne saurait pourtant citer davantage que dans ce *Semestre ;* le texte larocquien, référence à l'appui, est toujours explicite et sans cesse présent. Toutefois la critique (l'interrogation décortiquante) non seulement s'intègre à la démarche narrative, mais c'est dans la dynamique d'une explication littéraire que les protagonistes prennent leur mesure propre, font le point de leur passé et vont de l'avant. Alors que les habituels romans d'Édouard et autres avatars de *Faux-Monnayeurs* en restent au stade inchoatif et ne se composent que dans l'abstraction ou l'utopie, *Serge d'entre les morts* ici existe (et son auteur), il peut donc

être démonté et trituré dans l'analyse insistante, cependant
que, dans une telle opération, les personnages d'Omer Marin
et de Sandra Karolanski (et G. Bessette) exorcisent leurs secrets
et vivent leur vie.

Au principe de ses considérations sur la forme, le professeur Marin doit « recréer Serge sur un autre plan », quitte à
« faire dans un sens concurrence à La Rocque » (*Sem.*, p. 34).
Il « recrée-reconstitue » donc le roman « au plan analytique-
logique-discursif » (*Sem.*, p. 55), c'est-à-dire qu'il rétablit l'ordre
chronologique des épisodes, en étiquetant chaque scène et en
la situant le plus précisément possible dans le temps. Il s'agit
là, bien sûr, d'une recomposition *a posteriori,* purement péda-
gogique, destinée à éclairer une seconde lecture de l'œuvre.
Marin ne prétend surtout pas que La Rocque a pu procéder
à partir d'un schéma ainsi ordonné. Tout au contraire, la
méthode larocquienne, dont on nous dit qu'elle est aussi celle
de Marin romancier (et c'est à coup sûr celle de G. Bessette),
n'est rien moins que rationnelle. L'un et l'autre auteur sait bien
que « l'origine et l'allure de l'œuvre sourdent en grande partie
de l'inconscient et qu'elles échappent par conséquent à la
conscience » (*Sem.*, p. 155). Il faut en conséquence insister
sur ce que « le romancier lui-même n'[est] guère (en cours
d'écriture) plus conscient que le lecteur (en cours de lecture) »
(*Sem.*, p. 202). Cette situation, qui est celle du premier jet et
qui reste sujette ensuite aux réfections et polissages les plus
lucides, est un gage fondamental d'authenticité. Elle « donne
des visions des fantasmes à l'état brut », même si leur succes-
sion pose parfois [souvent ?] des problèmes au lecteur car elle
repose sur des analogies superficielles verbales [un mot fait
surgir toute une histoire...] ou à base de contiguïté spatiale »
[la mention d'un lieu entraîne l'évocation de ce qui s'y est
passé...] (*Sem.*, p. 18). Dans le cas de *Serge d'entre les morts,*
« La Rocque l'a-t-il voulu ainsi ou bien son livre est-il resté
fragmentaire, c'est-à-dire composé de fragments dans sa tête ?
[...] j'incline à croire qu'on a affaire à un roman dont l'auteur
n'a pas réussi à parfaire l'intégration consciente (mais l'a-t-il
voulu tenté ?) dit Marin — cela ne constitue d'ailleurs pas

nécessairement un défaut (esthétique), à la suite de ses plon-
gées sous-marines qu'il décrit très richement-somptueusement
La Rocque est comme ébloui-tâtonnant-titubant lorsqu'il
revient à la surface, d'où notre impression de sauts ou de
brisure dans le texte, le lecteur doit chercher-raccorder le fil
conducteur latent » (*Sem.*, p. 18). Et il se peut aussi que l'opération seconde (et troisième et N-ième) aggrave encore en un
sens le magma d'un premier jet spontanément tapé, puisque
au dire de La Rocque lui-même, il « s'armait à l'occasion d'une
paire de ciseaux et d'un pot de colle pour effectuer un montage-
collage de sorte que le lecteur ne se trouvait alors nullement
en présence du texte spontané et encore moins du *stream of
consciousness* mais au contraire en face d'un produit savam-
ment transformé-fabriqué qui tentait seulement de recréer une
impression de spontanéité-immédiateté » (*Sem.*, p. 200).

Constatons en passant que la lecture d'Omer Marin en
quête de l'essentiel se soucie fort de la forme et de la fabri-
cation. En outre, le critique qui a lui aussi une œuvre créatrice
voit les choses du point de vue de l'homme de métier et n'oublie jamais son propre cas (cela est d'ailleurs partie obligée de
l'entreprise de roman du roman que poursuit G. Bessette).
Ainsi quand il considère l'importante question de l'optique du
récit, Omer Marin a-t-il le bon goût de rappeler qu'il a lui-
même, comme tout le monde et toute la tradition, évolué sur
les principes admis au chapitre de l'approche romanesque et
dans leur mise en pratique efficace (*Sem.*, p. 215-216).
Remarquons également que c'est ici un point où notre lecteur
(Marin-Bessette), parce qu'il est forcé, au bout du compte et
quoi qu'il pense dans l'abstraction, d'avouer son irrépressible
intérêt, fait tout ce qu'il peut pour atténuer ce qu'il lui faut
bien malgré tout reconnaître chez La Rocque comme de
flagrants délits d'omniscience ou de fortuites interventions
d'auteur. Un bon nombre de commentaires un peu catégo-
riques là-dessus, dans *Le Semestre*, passent par l'intermédiaire
de l'étudiante Sandra Karolanski (laquelle de ce fait ne nous
en apparaît que plus perspicace) : « *La Rocque* [écrit en effet
Sandra] *manifeste une forte tendance à intervenir en tant*

*qu'auteur dans ses romans. C'est toujours le cas dans Serge d'entre les morts. Même en éliminant le narrateur en IL, La Rocque ne renonce pas à son privilège d'auteur omniscient (...)* ». Mais Sandra en cette matière n'est en définitive que le truchement de Marin : « *Une grande partie du récit* [poursuit-elle] *semble en effet présentée dans l'optique d'un autre personnage* [que Serge]. *M. Omer Marin a fait remarquer (lors du cours du 30 mars) qu'à peu près 40%* [arithmomanie marino-bessettienne] *du récit « dévie » de la sorte : nous avons alors affaire à l'optique de la grand-mère, de Lucien, de Fred et de Piphane.* » (*Sem.*, p. 201).

Quelle est donc au juste la difficulté, s'il en est une ? Il importe fondamentalement que le lecteur puisse identifier le narrateur avec ses coordonnées particulières de temps et d'état d'âme, afin de coïncider parfaitement avec lui au niveau du récit. Or dans *Serge d'entre les morts,* le lecteur a d'abord le sentiment que toute la narration doit être le fait du personnage éponyme du roman. Mais on est bientôt forcé de convenir que nombre de séquences sont présentées à d'autres points de vue (celui du père, celui de l'oncle, celui du grand-père, celui de la grand-mère), personnages distincts dont certains sont présumément disparus depuis des années, au moment de la remémoration qualifiée du protagoniste. Le lecteur, s'il réussit à s'accommoder de ces variations, est alors tenté de demander pourquoi on ne lui offre jamais l'optique de Colette ni de la mère, qui sont pourtant l'une et l'autre des personnages clefs de l'histoire de Serge. Malgré tout, et quoi qu'il en soit d'une telle diversité et de ses limites, le lecteur a tout de même l'impression que ces autres points de vue, explicités ou tus, sont pris dans le mouvement d'ensemble du roman et qu'ils sont subordonnés à celui de Serge, qui les entoure et les contient car, assure expressément Marin, « on avait incontestablement affaire à un roman à la première personne comme en témoignaient l'*incipit* aussi bien que l'*excipit* qui d'ailleurs se ressemblaient fort : « Mais moi je savais (...) que le cœur de la maison avait cessé de battre ... [affirmait la première phrase] (...) car je savais [déclarait la dernière proposition] que tout serait constamment à refaire, que toujours le serpent se mordrait la queue et que je n'aurais pas trop de toute une vie pour tenter (comme si le jeu en valait la peine) de briser le cercle des perpétuels recommencements- » (*Sem.*, p. 198-199).

Néanmoins on s'explique assez mal comment Serge peut, sans être doté d'une authentique omniscience, assumer ces multiples points de vue dans leur mode subjectif, brut et pas du tout décanté.

Au surplus, loin de contribuer à l'unité de perspective, l'optique de Serge comporte elle-même sa propre diversité qui oblige à déplacer sans cesse la position du point perspectif dans la ligne chronologique. Sur tel ou tel épisode, c'est l'optique de concomitance sans recul du petit Serge de cinq ans ou du garçon de douze ans (comme c'est ailleurs celle du père ou du grand-père, dans une sorte d'enregistrement sur le vif fait de leur vivant, qu'on peut à volonté répéter), non celle de Serge adulte qui intervient dans la complexité (complication) du récit.

Puisque de toute manière le JE principal (c'est-à-dire Serge) n'est pas à même normalement de tout connaître, de tout pouvoir exprimer sur les autres et sur soi-même, il faut tôt ou tard se rabattre sur l'imagination créatrice d'un personnage-narrateur (JE - Serge) qui ne diffère pas sous le masque-apparence d'un auteur Dieu-le-Père tout-puissant qui peut tout voir en tout lieu en tout temps. Sont ainsi indûment combinés dans la structure narrative auteur, narrateur titulaire et tiers personnages, et c'est sans doute pourquoi Marin, aux fins de signification, infère sans scrupule de Serge à La Rocque. Il y a donc bien de quoi parler de brouillage (*Sem.*, p. 198), car la narration est issue de plus d'une source en même temps.

« Mais s'agissait-il vraiment d'un défaut ? » À cette question posée, le roman du roman fait une réponse nuancée, c'est-à-dire double. D'une part, l'étudiante Sandra « nouvellement initiée au problème de l'optique romanesque l'affirmait carrément » (*Sem.*, p. 214). De son côté, le professeur Marin (et à coup sûr G. Bessette) est beaucoup moins catégorique. « Comme bien des vieux routiers attentifs à ne pas tomber dans des jugements de valeur sclérosés-myopes, Marin hésitant de plus en plus à parler de défauts dans l'absolu » (*Sem.*, p. 198) invoquera ce que j'appellerais une circonstance atténuante, parce qu'il sait, pour l'avoir entendu de La Rocque en personne, que l'auteur resté instinctif et spontané n'avait même pas vraiment réfléchi à la question de l'optique et avait somme toute fait bien peu de cas des subtilités techniques et de leurs conséquences. Mais est-ce là une excuse convaincante, quand on tient « que le lecteur devait être à même d'identifier sans équivoque [l]e narrateur, autrement s'il y avait brouillage cela créait (chez le lecteur) un malaise qu'il n'était pas toujours capable d'expliquer mais qui compromettait son intérêt et son plaisir esthétiques » (*Sem.*, p. 215). Par bonheur, Marin (G. Bessette) qui a la chance comme écrivain d'être un technicien d'expérience en une telle matière, n'est pas un lecteur ordinaire ; je dirais qu'il a la faculté de compenser pour certains manques d'un auteur en qui il se reconnaît. C'est ainsi que je comprends qu'il atténue ses jugements, quitte à les communiquer sans tapage à l'intéressé : « La raison pour laquelle je tique à peine face aux changements d'optique dans *Serge* [dit Marin] c'est que (au fond) je m'identifie à lui et que je suis prêt à inventer ou à « extravoir » (selon son expression) le *stream of consciousness* de certains autres personnages — ce qui ne m'empêche pas de relever chez La Rocque certains flottements ou faiblesses de technique que je lui ai d'ailleurs obliquement signalés » (*Sem.*, p. 204-205).

Je crois néanmoins que l'auteur du *Semestre,* si engagé qu'il soit du côté de La Rocque et de Serge (et de *Serge*), reste faillible. Il commet par exemple une erreur anecdotique, sans grande conséquence il est vrai au niveau de la signification du roman, quand il prend Fred, le père de Serge, pour le gendre de la grand-mère (*Sem.*, p. 84-85), alors qu'il en est le fils. Également je ne suis pas sûr que Marin ait raison de mettre sur un même plan « le temps de la remémoration et de l'écriture » (*Sem.*, p. 199), en prenant les deux termes au sens strict comme il faut le faire en l'occurrence d'une discussion technique. Il est clair, en effet, que le « récit » de *Serge* n'est pas dans le mode de l'« écriture » (pas plus, incidemment, que celui de *L'Incubation* de G. Bessette) : les souvenirs surgissent plutôt « dans la conscience de Serge à l'état brut et donnent au lecteur une impression d'immédiateté » (*Sem.*, p. 199). Ici encore c'est probablement Sandra qui trouve la désignation la plus juste quand, à propos de la narration du *Nombril* (premier roman de La Rocque), elle parle du « ‹style de la pensée›, et Omer lui donnait raison car souvent le ‹monologue intérieur› n'était pas même parlé, tout au plus contenait-il des expressions orales insulaires des lambeaux de phrases déchiquetées » (*Sem.*, p. 200).

Le don de La Rocque de coller à la conscience de ses personnages est capital et il peut en vérité aller très loin. Il est poussé, on peut dire, à l'extrême, dans le troisième roman de l'auteur, *Après la boue,* jusqu'à effectuer « un prodigieux changement de sexe [...] puisqu'il subit par le truchement de son héroïne Gabrielle l'horreur névrotico-psychotique de la pénétration, de la grossesse et du féroce avortement » (*Sem.*, p. 219). La Rocque parvient à se mettre, si j'ose dire, dans la peau d'une femme et à représenter toutes les cénesthésies typiquement féminines avec une vérité telle qu'elle fascine de surprise et d'approbation les jeunes filles du cours de Marin. Celui-ci insiste à très juste titre là-dessus, déclarant sans réserve son propre « étonnement-envie-admiration » (*Sem.*, p. 80), devant le phénomène. Je me permets de souligner ici l'accès de modestie de G. Bessette qui omet de rappeler qu'il a lui-même déjà réussi des prouesses analogues et d'égal intérêt, en particulier dans la nouvelle intitulée *Grossesse*, en 1969 (recueillie dans *La Garden-party de Christophine* en 1980).

Sous ce rapport toutefois Omer Marin, qui reste un « réaliste impénitent », signale quelques vétilles chez La Rocque, dont « le style indirect libre exprimant censément la Gabrielle d'*Après la boue* comporte un vocabulaire et des figures de style qui la dépasse de cent coudées » (*Sem.*, p. 219). On pourrait sans doute épiloguer davantage sur ce chapitre et en dire autant à propos de Serge (d'entre les morts) dont on ne connaît pas exactement le niveau de culture, sauf qu'on sait qu'il a travaillé dans une « shoppe » de ferblanterie (*Serge,* p. 94-96 et *Sem.,* p. 29), et dont on peut s'étonner par exemple qu'il cite Louise Labé (*Serge,* p. 100), poétesse du XVIe siècle, comme si de rien n'était.

En tout cas Marin ne craint pas d'invoquer à bon propos « la splendeur géniale du style dont La Rocque faisait preuve » (*Sem.,* p. 220). Cet éloge peu banal est sincère, côté critique, et sans aucun doute mérité, côté La Rocque. Les preuves, du reste, sont à l'appui : qu'il s'agisse de « transforme[r] un mot banal en un symbole en une vision intense horrifique mortifère dans la cervelle de son héros » (*Sem.,* p. 38), ou de passer avec souplesse « du *je* au *vous* (lequel est un *on* déguisé) » (*Sem.,* p. 59). Je me demande néanmoins quelle prévention O. Marin (G. Bessette) peut nourrir contre le procédé de *pathetic fallacy* — « correspondance entre « l'état de la nature et l'état de la psyché du personnage (d'ordinaire le protagoniste) » (*Sem.,* p. 44) —, pour s'en moquer quant à lui-même (*Sem.,* p. 96) et en faire presque reproche à La Rocque comme d'une facilité « qui, une fois découverte par le lecteur, risque de faire long feu » (*Sem.,* p. 44).

Je le note d'autant plus à propos que, à un autre niveau, c'est une sorte de système de *pathetic fallacy* qui joue dans la mise au jour des significations, qui émergent essentiellement dans le mode de l'échange et du transfert. Marin en définit d'ailleurs précisément le principe, lorsqu'il déclare que « toute découverte littéraire authentique comporte une part de projection (au sens freudien [...]), en termes ordinaires cela veut dire que l'on découvre chez les autres (chez les personnages littéraires) seulement ce que l'on porte en soi (à l'état plus ou moins latent) » (*Sem.,* p. 131). En fait, l'interprétation marino-bessettienne de *Serge d'entre les morts* et des premiers romans de La Rocque est une suite de constats de la plus active syntonie, qui expliquent certes l'œuvre larocquienne, mais qui dynamisent du même coup, de façon agissante, *Le Semestre* lui-même.

Ainsi *Serge* est-il, à la lettre, le miroir de Sandra, qui retiendra par exemple la péripétie en soi de la mort du père ou en général les leçons critiques du professeur Marin comme « des expériences vécues profondément *flesh and bones* » (*Sem.,* p. 87). Et les affinités sont encore plus nombreuses et plus vives du côté d'O. Marin (et de G. Bessette), jusqu'au détail anecdotique (et pourtant significatif) de cette fameuse « Dodge rouge vin — tu n'y peux rien : c'était une Dodge comme dans *Serge* » (*Sem.,* p. 238).

Dans les thèmes majeurs on pourrait croire à une harmonie préétablie, à l'échelle des personnages et même des auteurs. L'épisode de la femme rouge de Serge, qui revient avec tant d'insistance (dans *Le Semestre*), remonte à la lumière dans la conscience de Marin-Bessette le fantasme correspondant et traumatique de « la femme exsangue au teint livide étendue sur le lit : sa mère perçue peut-être alors et sentie pour la première fois en tant que femme biologique et fragile — désemparée, tout le contraire donc de la femme dévorante-sadique-séductrice du jeune Serge » (*Sem.,* p. 79).

De la même façon, l'importante scène originaire de *Serge,* à quoi on réfère sans cesse, est exploitée à fond (comme une mine dont on extrait tout le minerai), « l'optique du fils [...] engendr[ant] celle du père dérapant vers une mort écrabouillante, se pouvait-il que cette séquence et cette fulgurante bascule optique fils/père de *Serge* eussent tellement touché Marin parce qu'elles lui évoquaient à son insu [...] parce qu'elles avaient fait émerger en lui une vision prémnémonique, Marin comme penché depuis la travée d'un pont et attiré (comme aspiré) par les remous bouillonnants ? » (*Sem.,* p. 221-222)... « Et peu à peu Omer se mit à subodorer-pressentir la relation (ténébreuse) qui pouvait exister entre d'une part la séquence originaire (imaginaire) de *Serge d'entre les morts* qui se terminait par l'écrabouillement du père et d'autre part la scène (réelle) qui s'était déroulée dans un motel de la banlieue de

Narcotown et qui avait précédé (sinon provoqué *post hoc ergo propter hoc*) sa quasi-mort à lui Marin dans un lit à garde-fou grillagé du *Narcotown General Hospital.* Car Omer savait (pressentait) que dans *Serge* le protagoniste-enfant (qui aurait pu s'appeler Marie-Ange ou Angèle-Angélique) fantasmait-souhaitait sans doute la mort du père (ou du partenaire coïtant) en percevant les bruits de la *primal scene* (ne suffisait-il pas comme dans un film fondu-enchaîné ou d'un traveling pour que l'optique passât du rejeton au géniteur (putatif ou fantasmé) et inversement ?) » (*Sem.,* p. 254-255). (Soit dit en passant, G. Bessette avait déjà explicité sa propre version d'une scène originaire, dans *La Commensale,* au début des années 1960.)

En mettant donc en œuvre une telle herméneutique tran-sitiviste — j'emploie ici le terme suggéré pour transposer « *pathetic fallacy* » (*Sem.,* p. 44, 96), que d'aucuns (Henri Peyre, *Hugo,* P.U.F., 1972, p. 45) traduisent plus littéralement par « mensonge passionné » —, la communication est totale d'un pôle à l'autre, de l'écrivain Bessette à l'écrivain La Rocque, dans un mouvement réciproque, le roman tout entier prenant l'allure d'« une espèce [genre] d'auto-analyse » (*Sem.,* p. 93, 111) mutuelle, et Marin peut avoir « le sentiment de mieux connaître en profondeur *Serge d'entre les morts* ainsi que son auteur et par réfraction-association de se mieux connaître lui-même » (*Sem.,* p. 277). Il en résulte une véritable mainmise, authentique possession (mais qui possède, qui est possédé ?) de l'un par l'autre. Il est évident que G. Bessette voudrait être l'auteur de *Serge d'entre les morts.* Par contre G. La Rocque peut légitimement prétendre avoir puissamment participé (sans l'avoir cherché) à la création bessettienne. J'y vois sans exagé-ration (en pastichant hardiment une image congrue) le lieu d'un « incroyable rendez-vous érotique » (*Sem.,* p. 90). C'est en les sacrant personnages de son roman que Gérard Bessette a fait de Serge (d'entre les morts) et de Gilbert La Rocque (d'entre les vivants) ses amis intimes.

Au début de 1981, l'auteur du *Semestre* fera paraître un compte rendu des *Masques,* cinquième roman de La Rocque, sorti en 1980. Cette œuvre particulièrement réussie est abordée par le critique, au plan de la forme, comme la tentative (« un peu à la façon d'un Faulkner ») de résoudre le problème : « comment doser-marier dans un roman le réalisme (au sens balzacien) et la psychologie des profondeurs » (*Voix et images*, vol. VI, no 2, hiver 1981, p. 321). Entreprise, somme toute, d'esprit très bessettien. Je note surtout que c'est dans le présent article que G. Bessette aura déclaré d'entrée de jeu que « le sujet de prédilection (ou d'obsession tenace) chez Gilbert La Rocque, c'est sûrement la mort » (*Ibid.*, p. 319). Signe prémonitoire ? On connaît, hélas, la suite accélérée de l'histoire larocquienne.

Au moment où j'écris ces lignes, *Le Passager*, sixième et ultime roman de La Rocque, paru à l'automne 1984, est censément l'objet d'une lecture bessettienne. Je n'en puis donc rien dire encore. On se rappelle que cette œuvre avait soulevé des controverses au moment de sa publication. Peut-être est-il trop tôt pour formuler quelque jugement définitif sur l'ensemble de cette communication exceptionnelle entre deux écrivains.

Dans *Le Semestre*, Omer Marin se reconnaît « encombrant (dévorateur ?) vis-à-vis des romanciers qu'il persistait à appeler « les jeunes » bien qu'ils fussent des hommes faits désireux d'éloigner (éliminer) toute figure paternelle rivale et n'appréciant guère que Marin les disséquât-métabolisât » (*Sem.*, p. 205). Dans une telle veine, j'aurai la truculence de qualifier d'ogresse la lecture de *Serge* dans *Le Semestre*. L'annexion-assimilation personnelle qui est faite du personnage, de l'œuvre, de l'auteur, comporte quelque chose en soi d'extrême.

Mais assurément le sort ici de La Rocque reste-t-il privilégié, par rapport à celui de son contemporain Victor-Lévy Beaulieu (alias Butor-Ali Nonlieu). La sentence qui est sur lui prononcée est positive, sans équivoque : « Par bouts, Gilbert La Rocque, ça vaut Faulkner » (*Livre d'ici*, cité dans le fascicule de Québec/Amérique intitulé *Le Voyage au bout de la vie*, février 1985, p. 10). Les « imperfections-gaucheries disparaîtraient chez l'auteur de *Serge* avec l'âge — mais conserverait-il jusqu'à la quarantaine ou la cinquantaine son colossal talent sa fougue en apparence inépuisables ? » (*Sem.*, p. 220).

L'avenir était une promesse. Non tenue. L'inaccomplissement de la suite rêvée chez son cadet d'élection doit être pathétique pour le lecteur Gérard Bessette.

Réjean Robidoux
Juillet 1985

# La fête, la haine, la mort

Impossible de ne pas songer, au moment de rédiger ce texte, que Gilbert La Rocque nous a quittés depuis un an déjà. À 42 ans, c'était trop tôt. Il avait tout devant lui. Et c'est avec confiance en l'avenir, que quatre ans plus tôt, les membres du jury dont je faisais partie, lui avaient décerné le titre enviable et envié de *Grand Montréalais des années 80*. Nous savions tous qu'il allait recevoir l'honneur à sa manière, c'est-à-dire en se moquant, vilipendant et stigmatisant « les messieurs et les médèmes en décolletés avec des robes extra-longues pour cacher les varices, les vestons de beau mohair et de précieux lainages anglais et écossais et tout le bataclan, *made in Aberdeen,* ça ne les dérangeait pas, et des cravates de soie naturelle importées d'Italie, tout ça par-dessus des flapissures énormes, ventres mollasses et fanons pendant, ce cheptel ridicule qui était là rassemblé, (...) » (*P,* p. 36)[1] pour assister « à un cocktail cacateux », à cette « chiante cérémonie » dont il serait, lui Gilbert

---

1. Pour éviter de surcharger le texte, j'ai utilisé le système d'abréviation usuel qui consiste à ne retenir que la première lettre du premier substantif du titre :

   N : *Le Nombril,* Montréal, Éditions du Jour.
   C : *Corridors,* Montréal, Éditions du Jour.
   B : *Après la boue,* Montréal, Éditions du Jour.
   S : *Serge d'entre les morts,* Montréal, VLB éditeur.
   R : *Le Refuge,* Montréal, VLB éditeur.
   M : *Les Masques,* Montréal, Québec/Amérique.
   P : *Le Passager,* Montréal, Québec/Amérique.

La Rocque, l'heureux lauréat ! Étrangement, je ne me souviens plus de ce que Gilbert La Rocque a dit au moment d'être intronisé *Grand Montréalais des années 80,* mon souvenir étant tout entier fixé sur la sortie intempestive et un tantinet ridicule de Monique Simard, Grande Montréalaise du monde syndical. Sans doute que Gilbert La Rocque a dit merci et qu'il est retourné sagement à sa table d'honneur. Qu'aurait-il pu dire d'autre sinon la même chose (ou à peu près) que cette Simard qui, par manque de savoir-faire et de savoir-vivre, s'était rendue antipathique à la foule des Messieurs et Médèmes rassemblée dans la grande salle de bal du Reine-Élizabeth.

Il est probable sinon certain que cette cérémonie l'ait fait royalement chier compte tenu de la timidité excessive de Gilbert La Rocque. Je suis persuadé par contre qu'elle lui a fait chaud au cœur puisque, jusqu'alors, il avait été victime d'une critique souvent condescendante parfois même méprisante à son égard. La Rocque jouait les insensibles, mais il souffrait terriblement de cette situation. Je me rappelle trop bien la hargne qui le saisissait lorsqu'il m'entretenait des critiques littéraires patentés pour douter un seul instant de son insensibilité. Il était clair à ses yeux qu'on n'avait rien compris à ses romans et tout aussi clair qu'on ne voulait tout simplement pas comprendre parce que les « inévitables journalistes » (*P.* p. 46) n'avaient eu ni le temps ni le courage d'aller au delà d'une certaine lecture, celle de surface, rebutante parce que ne ménageant pas (s'y complaisant au contraire) les notations d'un quotidien répugnant, celui du petit peuple malodorant, coincé dans le métro, sardines pourrissantes, dégageant de tous les orifices des odeurs capables de faire lever le cœur à quiconque a le moindrement le sens de l'hygiène.

Gilbert La Rocque était obsédé par les odeurs et plus particulièrement par celles de la putréfaction. J'ai, il y a quelques années, publié un commentaire dans *Lettres québécoises* (no 8) où je traitais de cette fixation anale et des mécanismes (annulation, réversion, etc.) qui caractérisaient ce type d'écriture. Il faudrait ajouter que l'écriture obsessionnelle, celle de

La Rocque mais aussi celle de Bessette, se complaît non seulement dans la déjection mais aussi dans la rumination, le soli-
loque, l'exigence sans cesse réaffirmée mais rarement réalisée
d'obtenir par la raison ou par la force, réparation pour les
blessures narcissiques dont les héros se considèrent les victimes.
À cause de son caractère répétitif, insistant, cette écriture peut
devenir agaçante, taraudante pour le lecteur. Elle peut d'autant plus le devenir qu'elle l'agresse plus souvent qu'à son
tour, le bouscule allègrement, lui fout le nez dans la merde,
l'accointe insidieusement à l'ennemi même du narrateur, lui
donne de ce fait l'impression qu'il est responsable du malaise,
de l'inconfort, des déboires du héros-narrateur en sorte que
le lecteur en vient finalement à détester celui-là même qui
l'avait informé des secrets de sa psyché et dont il aurait dû
être le complice.

Obligé bien malgré lui de s'identifier à l'ennemi du héros-
narrateur, le lecteur en devient le double donc du coup le
bourreau du narrateur. Cette relation sado-masochiste (surtout
si le lecteur en question exerce le métier de critique littéraire !),
Gilbert La Rocque l'a sinon souhaitée du moins laissé s'in-
cruster dans les arcanes de son inconscient. Voilà qui explique
pourquoi, il fut, en partie tout au moins, l'artisan de ses déboires
littéraires.

Pouvait-il agir autrement ? J'en doute. Je suis même porté
à croire qu'il ne pouvait résister à la poussée d'une compulsion
de répétition. À dire vrai, trop d'indices me laissent croire à
cette théorie pour qu'elle ne me paraisse pas plausible. Je
pense, entre autres, à l'interminable querelle qu'il a entrete-
nue, à une certaine époque, avec le président de l'Association
des éditeurs canadiens. Querelle qui lui permit de manifester
à la fois sa nature essentiellement belliqueuse et son grand
talent d'écrivain : les portraits qu'il a tracés du président en
question me paraissent des chefs d'œuvre de méchanceté.

Cette anecdote pour dire que La Rocque ne pouvait
concevoir son métier d'écrivain et d'éditeur en dehors d'une
certaine polémique. Pour lui, écrire était un acte d'agression

(il admirait profondément le marquis de Sade). Et de fait celui qui fut un adepte du Karaté ne pouvait imaginer un roman qui ne portât pas, à point nommé, des coups mortels. L'écriture, à cause de cela, se devait d'être manipulée avec soin par les seuls spécialistes. Autrement elle n'était qu'un amusement à la portée de n'importe lequel attardé tout juste capable de produire un « inutile bouquin qui (aura) pour seul mérite d'être divertissant et aisément compréhensible » donc susceptible d'obtenir la reconnaissance officielle comme c'est effectivement le cas pour le roman de Francis Absolon *Par devant comme par derrière* qui décroche dans *Le Passager* le « ridicule prix littéraire Lambert-Closse » (*P,* p. 42).

Ceux qui ont connu Gilbert La Rocque à titre de directeur littéraire savent quelle attention maniaque il portait à chacun des manuscrits qu'il se proposait de publier. Les écrivains de Québec/Amérique avec lesquels j'ai été en contact m'ont tous raconté que La Rocque les avait convoqués pour revoir mot à mot, page à page l'ensemble de leur manuscrit afin d'en arriver à une version qui soit conforme à ses critères de qualité. Malgré cela, je l'ai entendu prononcer des jugements « éclairés » sur les propres livres qu'il publiait. La Rocque n'ignorait pas qu'en tant qu'éditeur, il devait viser différents publics et, qu'à ce titre, il lui fallait diversifier sa production. Ceci étant dit, il se montrait scandalisé, outré même de constater que certains manuscrits qu'il avait refusés étaient imprimés sans modification aucune par un éditeur rival. Pour lui, c'était non seulement de la piraterie mais un crime, particulièrement lorsqu'il considérait que le manuscrit en question avait de la valeur mais qu'il ne pouvait être publié sans avoir fait l'objet d'une réécriture.

Car La Rocque affectionnait par-dessus tout le travail de l'écriture. Et pourtant peu de lecteurs-critiques ont insisté sur ses qualités stylistiques alors que sa maîtrise technique saute aux yeux dès les premières publications : une phrase-larve qui érupte par secousses et qui se répand, incandescente et mortifère, sur la page blanche ; un vocabulaire fastueux où s'affrontent invariablement le vulgaire et le sublime. Les axillaires, la pituite, les remugles parfument l'univers poisseux, grumelé et glaireux de La Rocque. Il prend plaisir à nous vautrer avec science dans le dégueulis. De ce point de vue, je crois bien qu'il a épuisé tous les dictionnaires à sa portée. Parfois, il pousse plus loin et cède à une certaine préciosité en prenant un plaisir évident à pasticher et à parodier le langage ampoulé d'une certaine époque. Ainsi dans *Après la boue* ce morceau choisi (et non moisi !) :

> elle entre dans la chambre où l'attend le prince courroucé elle a peur elle s'adosse à la porte et Gabrielle marquise des Fanges retient un cri les spadassins masqués l'entraînent par la poterne dans la nuit des venelles son cœur bat fort sous son busc fi beaux seigneurs mais fi donc je saurai fort aisément m'y retrouver seule puis sans même gratter à l'huis Gabrielle ouvrit toute grande la porte de la chambre du roi... (*B*, p. 71)

Bien sûr, il s'agit d'exercices auxquels La Rocque s'adonne occasionnellement. S'il fallait le juger sur ces « compositions », il pourrait tout au plus être considéré comme un manieur (et non pas un *branleur* comme il est dit dans *Le Passager !*) du stylo fort cultivé donc capable d'épater à tout coup la galerie. Mais ce qui fait sa force, la marque de son grand talent, précisément parce qu'elle n'appartient qu'à de très rares écrivains, c'est cette « signature » reconnaissable entre mille parce que modelant un phrasé si particulier, si typé, si agréable pour ceux qui le connaissent et qui l'apprécient, qu'il crée, comme ç'avait été le cas naguère pour Marcel à la lecture de certaines phrases de Bergotte dans *La Recherche,* une jouissance de la reconnaissance.

Cette sublime logorrhée n'a pas été acquise d'emblée même si, dès les premiers romans de La Rocque, on la sent présente, tapie dans la forêt des mots mais pas suffisamment visible pour qu'elle nous accroche l'œil et nous séduise. Et de fait il faudra attendre la parution de *Serge d'entre les morts* (roman qui faisait suite à *Après la boue,* lequel fut à mon avis un échec stylistique du moins pour ce qui concerne le jeu des permutations des personnes grammaticales) pour que sa totale maîtrise éclate au grand jour dans des longs mouvements soliloqués, flux continu quoique hachuré, qui, dans un ultime renversement, se mordent brutalement la queue. Ouroboros et Moebius en constituent les images d'Épinal et clôturent du reste *Serge d'entre les morts* et *Les Masques,* deux romans qui ont porté à son ultime degré de perfection la manière d'écrire de Gilbert La Rocque.

J'avoue, quant à moi, avoir connu le coup de foudre à la lecture des *Masques.* Ouvrant le livre et lisant : « À présent, il était debout sur le trottoir, dans la lumière dure et dévorante du soleil de midi, les tempes battantes, sentant que sa chemise mouillée de sueur lui collait entre les omoplates, regrettant d'être venu, furieux de se retrouver en plein cœur de Montréal par cette journée torride » (*M,* p. 13), j'éprouvai la même émotion que celle qui m'étreignit et m'étreint encore quand je lis : « Longtemps je me suis couché de bonne heure. Parfois à peine ma bougie éteinte, mes yeux se fermaient si vite que je n'avais pas le temps de me dire : « Je m'endors ». Et, une demi-heure après, la pensée qu'il était temps de chercher le sommeil m'éveillait. »

Pourquoi un tel ébranlement à la lecture de phrases, somme toute, assez quelconques sinon cette certitude (comme celle de l'odeur exhalée et immédiatement reconnue du corps aimé et qui s'incruste en nous et nous rassure sur l'indéniable existence de notre amour), cette certitude, dis-je, que l'on va retrouver dans les mouvements, dans les sinuosités, les collusions et les fusions d'un certain phrasé si près de celui qui l'a agencé qu'on a l'impression de toucher la main, la chair, la pensée tactilée, vibrissée de celui qui n'avait laissé que son nom, Gilbert La Rocque ou Marcel Proust, sur la page couverture. Cette encre étalée sur cette page puis sur les autres prend alors vie et forme, s'écoute comme le son riche et profond d'une pulsation cardiaque pour devenir parfaitement pleine du moi qui s'est mystérieusement incorporé à elle. Et l'on se dit, surpris et heureux : « C'est bien lui qui a tracé ces mots, ce sont ses sons, à lui seul, sons que je reconnaîtrais entre mille parce qu'il les habite et les fait vibrer à sa façon. À cause de cela, ils ont pris une texture, un vernis, ils ont acquis une autonomie à ce point évidente que leur signification usuelle apparaît, finalement, commune.

Cette constatation étant faite, impossible par ailleurs de décrire pourquoi il en est ainsi simplement parce que je ne dispose pas des instruments capables de me permettre de le découvrir. Sans doute aussi, pourquoi le nier ?, cette entreprise me paraît-elle périlleuse, peut-être même vaine. À vouloir nommer l'indicible, on risque d'attraper le vide. Du moins telle est ma perception de la « littérarité », les relents de ma formation littéraire toute imprégnée du romantisme de l'époque refont sans cesse surface de sorte que je ne me risquerai pas à tenter d'isoler une écriture en mouvement de peur qu'elle ne se fige et ne meure entre mes mains.

Voilà pourquoi forcé par forfait d'aborder le contenu de l'œuvre larocquienne, je tiens à ce qu'on sache que celui-ci n'a véritablement d'intérêt que si l'on tient compte des structures formelles qui lui impriment sa spécificité. On peut même penser que la matière, sans ce mouvement qui la sublime, serait d'un intérêt quelconque.

Cela est d'autant plus évident que le genre romanesque traite toujours du même sujet (être aimé, ne pas être aimé ; aimer, ne pas aimer), l'agencement seul en garantissant l'originalité. Chez La Rocque, on peut d'autant plus aisément raconter l'histoire de ses romans que des événements tragiques ont voulu que cette histoire soit close à tout jamais. Et c'est peut-être à cause de cela que le roman des romans de La Rocque m'apparaît tout à coup infiniment plus clair qu'autrefois. Pourtant tout était là, tracé depuis les premières lignes mais pour ainsi dire effacé puisque j'étais porté à lire ses écrits comme des entités, l'œuvre étant de soi ouverte, capable de bousculer une thématique antérieure, de la relancer, de la dévier même de sa course initiale.

Chose certaine, je m'explique mal l'aveuglement qui m'a saisi chaque fois que j'ai parlé des œuvres de La Rocque ne percevant que le plus visible, le contenu manifeste, alignant des récurrences évidentes (le complexe anal, entre autres) sans jamais aborder le mythe, le récit premier, celui qu'il n'a jamais cessé de dire et de redire depuis le début de son écriture.

Au commencement fut le paradis. Puis vint le serpent. Cette histoire simple et belle est celle qu'on raconte et qu'on n'a jamais cessé de raconter depuis la nuit des temps. Impossible d'échapper aux lois immuables du récit peu importe qu'on tente de les complexifier ou de les obscurcir à dessein. Au commencement donc était la campagne et la rivière chez l'oncle de Jérôme, lequel Jérôme allait bientôt avoir six ans c'est-à-dire, selon l'ordre des choses connues, l'âge de raison. Puis il y aura Isabelle, elle aussi âgée de six ans donc tout aussi habilitée que Jérôme à être initiée aux dures lois de la raison mais elle porte une robe blanche, elle est toute blonde, on dirait une enfant du paradis. Entre Jérôme et Isabelle, la fulgurante rencontre du désir, la découverte de l'autre, du mystère qui assurément se cache sous les plis de sa robe d'été. Des fleurs, une piqûre d'abeille et la vue, fascinante mais inquiétante pour Jérome, « d'une bosse rouge, rouge-rose avec un point plus foncé au milieu » (N, p. 89). Une piqûre ? Tout cela n'est pas très clair (« comique quand même, que je n'aie jamais oublié ça, ces journées chez mon oncle... Pourtant il ne se passait rien, absolument rien... peut-être à cause de ça, justement, que je n'ai jamais oublié... le paradis de l'enfance où tout est simple... Et le pire, c'est que j'y pense souvent, à tout ça, les vacances chez mon oncle, Isabelle et le reste, j'ai encore toute mon enfance dans la tête, des fois ça me revient par grands morceaux, des choses que tu trouverais insignifiantes à mort si je te les racontais... » N, p. 185)

Insignifiant à mort ? Cela est possible mais il n'empêche que Jérôme insiste pour raconter les lambeaux qui se déchiquettent dans sa mémoire : Jérôme et Isabelle seuls sous la pergola pendant que les parents, les oncles et les tantes, sont ailleurs, à la maison. Puis le vide, le trou noir. Un quai, une fleur qui flotte sur l'eau. Une main de petite fille, potelée, qui tente de le saisir. Et la noyade. Et la culpabilité : « Je voulais pas faire ça ! ...Isabelle tombée toute seule ! ...Je le jure ! » (*R*, p. 131)

Que dire de plus ? Difficile de raconter une histoire reprise trois fois par La Rocque (dans *Le Nombril, Le Refuge* et, de façon totalement remaniée, dans *Les Masques*) et toujours racontée de façon différente avec des variantes si importantes dans un même récit que Nathalie, l'amoureuse de Jérôme dans *Le Nombril,* s'impatiente : « Fais-toi une idée ! ...Comment qu'elle est morte au juste ? ...Elle se baignait ? ou elle se promenait tout bonnement sur le quai ?... » (*N*, p. 186)

Et Jérôme de répondre qu'il aime « reconstruire les faits à (s)a manière » (*N*, p. 187). La réplique ne se fait pas attendre : « — Oui, je sais, ton habitude de t'inventer des histoires... puis tu finis toujours par y croire toi-même » (*N*, p. 187). Remarque cinglante dans le contexte mais aussi intéressante dans la mesure où elle indique qu'il se pourrait que ce souvenir-écran ait pu être inventé de toutes pièces. Un pur mensonge littéraire, « le grand mensonge de ses écritures » selon l'expression qu'utilise Alain dans *Les Masques,* « sa fausse mémoire d'auteur », ajoute-t-il (*M*, p. 14).

À vrai dire, il importe peu que ce souvenir soit tiré de la biographie de l'auteur ou pas (bien que je sois quasi certain qu'il le soit). Ce qui apparaît à l'évidence, c'est sa récurrence et sa prégnance dans les œuvres de La Rocque. Ce qui est significatif, c'est sa possible valeur matricielle. Car pour moi, il est clair que ce souvenir constamment déformé mais toujours raconté avec une douloureuse insistance (dans *Les Masques,* l'auteur, comme culpabilisé, a préféré faire mourir Éric le fils du narrateur plutôt qu'Isabelle mais, et c'est ce qui est symptomatique, en utilisant le même canevas) constitue le mythe de base, le péché originel et mortel qui va orienter tout le reste de l'œuvre et déterminer à tout jamais les difficiles relations qu'entretiennent les héros-narrateurs avec leur propre entourage.

À ce titre, il est bon de signaler un certain nombre de données qui constituent les éléments permanents du mythe en question :

1° Le dialogue entre Jérôme et Isabelle, c'est évident dans *Le Refuge,* se déroule de façon quasi constante sous le signe de l'affrontement. Si Jérôme désire Isabelle, il n'est pas dit que ce désir soit partagé. Chose certaine, il n'est ni avouable ni avoué. De là le comportement sadique de Jérôme vis-à-vis Isabelle laquelle se fait arroser copieusement par ce dernier (dans *Le Refuge*).

La réaction d'Isabelle : « Ça, tu vas le regretter ! ...Je m'en vas le dire à mon père » (*R*, p. 123). Menace du reste lancée à tout propos par Isabelle à chaque fois qu'elle n'a pas le dessus sur Jérôme. Menace reprise en écho par la mère d'Isabelle : « Lui, il ne perd rien pour attendre. Je vais le dire à son père » (*R*, p. 123) cependant que Jérôme, à l'écart, « lui fait des grimaces » (*R*, p. 123)

2° De fait l'autorité paternelle s'exerce avec violence puisque, dans *Le Refuge* (de même que dans *Les Masques*), Jérôme est bel et bien puni et battu par le père : « Non, popa, je le ferai plus ! ...C'était pas ma faute ! ...(...) Non ! Non ! ... Bats-moi pas... » (*R*, p. 131)

3° La rencontre d'Isabelle et de Jérôme a lieu dans un contexte bien précis qui est celui de la fête familiale où se sont réunis les oncles et les tantes de Jérôme.

4° Dans presque toutes les versions, on peut noter la présence d'une horrible femme aux dents d'or et à la bouche rouge qui se berce constamment. Cette femme, tante ou grand-mère, effraie autant Isabelle que Jérôme. « On dirait toujours qu'elle veut nous manger » (*R*, p. 116), dira Jérôme à Isabelle.

5° Le tout se termine par le drame, la noyade d'Isabelle (celle d'Éric dans *les Masques*) dont Jérôme se sent grandement coupable à cause des soupçons qui pèsent sur lui du fait qu'il était seul avec Isabelle au moment où celle-ci s'est noyée (« Pis c'est peut-être lui qui l'a poussée... On sait jamais ce que ça peut avoir dans la tête. » (R, p. 14) dit une Femme dans le Refuge. Et son interlocutrice de répliquer : « Ce petit gars-là va rester marqué pour la vie, tu peux me croire... » (R, p. 14).

Ce scénario de base, ce mythe des origines servira effectivement, et pour des raisons qui relèvent incontestablement de l'inconscient, de matrice pour tous les romans de Gilbert La Rocque. Phénomène encore plus intéressant, un peu comme on le fait en thérapie gestaltienne, Gilbert La Rocque jouera par narrateurs interposés tous les rôles d'un drame dont il n'arrive pas à se détacher, malgré une écriture cathartique sans cesse renouvelée, et sur lequel, par une évidente compulsion de répétition, il revient incapable qu'il est de dire autre chose que cet insupportable et cuisant échec, que cette lancinante culpabilité, que cette certitude de la mort provoquée par une esquille éclatée du squelette d'Isabelle et qui sera venue se loger en plein centre de son cœur.

« À partir de l'âge de six ans tout est joué » a dit sentencieusement un disciple de Freud. Gilbert La Rocque n'aurait jamais accepté de corroborer un tel jugement. Et pourtant tout se passe comme si la psychanalyse avait raison sur lui. Car sans l'éternel retour du mythe d'Isabelle, son œuvre apparaîtrait quasi vidée de son contenu.

Qu'on y regarde de plus près : tous les romans de La Rocque racontent le triste constat d'un échec amoureux (même Corridors qui me paraît un intermède où La Rocque a revêtu le costume d'un felquiste comme il devait, jeune, se draper de la cape de Zorro !). Ainsi Le Nombril fait le bilan de l'échec des amours adolescentes entre Nathalie et Jérôme. Au moment où est publié Corridors, on y apprend que « Céline était enceinte de six mois quand (Clément) l'a abandonnée » (C, p. 12). Clément ne saura jamais si Céline a donné naissance à un garçon ou à une fille. Dans *Après la boue,* c'est le même thème qui est repris mais cette fois la focalisation est renversée et c'est Gabrielle qui devient narratrice et qui casse des noix sur le dos du gros Roch parce que chaque soir il se sent investi de la mission sacrée de lui limer le vagin avec « son grand sprigne » (*B,* p. 19) pour « se vider les testicules » (*B,* p. 27). Leur union se termine par le départ précipité de Gaby qui se réfugie chez ses parents (Clément avait fait de même dans *Corridors ;* Anne agira de la même façon dans *Les Masques*) où elle s'avortera avec une broche à tricoter.

Puis le cycle est rompu : si les trois premiers romans racontent la rupture d'une union, *Serge d'entre les morts* recule dans le temps pour nous présenter la vision d'un narrateur beaucoup plus jeune. Au moment où débute le roman, Serge a six ans environ (l'âge de Jérôme dans *Le Refuge*) alors qu'à la fin (façon de parler puisque la chronologie est constamment bousculée) il est un adolescent. Quoi qu'il en soit, ce roman raconte encore une fois les amours contrariées de Serge pour Colette, sa cousine puis, suite au mariage du père de celle-ci, avec la mère de Serge, sa demi-sœur.

Après *Serge d'entre les morts*, roman qui, il faut le répéter, devait asseoir de façon incontestable la réputation de La Rocque, ce sont *Les Masques* qui renoue avec le cycle des trois premiers romans tout en amplifiant le mythe d'Isabelle pour en faire le sujet même du roman. Mais il n'en demeure pas moins que ce récit n'aurait pas eu lieu si Alain et Anne n'avaient pas officiellement et légalement rompu. Ce récit, qui raconte la noyade d'Éric, leur fils, dans des circonstances absolument identiques à celles d'Isabelle, est à mon avis la plus belle réussite de La Rocque.

*Le Passager,* quant à lui, inaugure le début d'un cycle nouveau puisque le narrateur, suite à sa rupture avec sa femme Monique, a emménagé avec Liliane. Mais nous confesse Bernard Pion : « Ça ne pouvait pas marcher, c'était presque logique, il le savait bien et, au fond, il l'avait toujours su » (*P,* p. 94).

Ainsi donc le constat d'échec est permanent dans les œuvres de La Rocque. Il est pour ainsi dire inscrit de tout temps. Il l'est d'autant plus que chaque roman semble reprendre l'histoire déjà amorcée dans celui qui précédait. Chose certaine, à chaque nouvelle parution, le narrateur vieillit en conséquence (il y a un écart de 5-7 ans entre les narrateurs et l'auteur, sauf pour Gabrielle) : Jérôme a 23 ans quand débute *Le Nombril* publié en 1970. Clément a exactement le même âge que Jérôme à la sortie, un an plus tard, de *Corridors*. Gabrielle, tout comme Roch, son mari, est un plus âgée : elle a trente ans, l'âge de l'auteur, au moment où paraît, en 1972, *Après la boue*. Alain a atteint la trentaine dans *Les Masques* (1980), tandis que Bernard Pion en accuse 34 à la parution du *Passager* en 1984.

Seul, comme je l'ai signalé, *Serge d'entre les morts* échappe à cette suite chronologique. Quant au *Refuge,* télé-théâtre pas très réussi malgré l'intérêt du sujet traité (précisément le mythe de Jérôme et Isabelle), Jérôme a, selon les circonstances, soit 6 ans, soit 25 à 30 ans, c'est-à-dire l'âge qui lui convient au moment où, en 1976, *Le Refuge* fut rédigé.

En soi, cette constatation n'est pas très importante. Elle indique néanmoins que, malgré la diversité des prénoms (Jérôme, Clément, Roch, Jérôme, Alain et Bernard), il s'agit d'un seul et même narrateur qui raconte, avec une insistance inquiétante, l'histoire de son échec amoureux. Ce constat : « il était presque naturel qu'il en vînt à se détacher de Céline » (*C,* p. 145) pourrait être repris en écho (et il l'est de fait) par tous les narrateurs. Pourquoi en est-il ainsi ? Clément répond que l'Autre est une entrave à « cette espèce de solitude que les gens appellent souvent liberté » (*C,* p. 145) et ce dernier d'enchaîner, après son constat d'échec, sur les « restes » de son enfance, sur cette part de lui-même qu'il traîne, comme Sisyphe, son rocher :

> « sans doute — bien sûr — il lui restait à liquider tant de choses. Mais on ne liquide — et possède véritablement — son passé et ses hantises et ses hontes et ses chutes

et les spectres lancinants de l'enfance qu'en se détournant d'eux ; ou mieux, en y faisant face, en les assimilant, en les digérant une fois pour toutes, en comprenant et en admettant que tout cela est mort et qu'il n'en reste plus que la conscience vertigineuse d'être soi-même (c'est-à-dire quelque chose, soi, qui glisse et plonge perpétuellement de ce qu'il fut vers ce qu'il sera — quelque chose de mouvant, une sorte de fuite éperdue dans les corridors sans retour du temps, rien de plus qu'un être avançant non pas loin de son passé, mais en quelque sorte à travers lui, ou avec lui et ce qu'il en reste pour continuer à assumer son identité et son destin ; un être qui n'a plus vraiment besoin de se rappeler le passé pour le regretter, sachant bien que, somme toute, c'est toujours son passé qui se souvient de lui). » *C,* p. 145.

Qu'est-ce à dire ? Bien malin qui pourrait répondre car voilà un texte totalement contradictoire affirmant et niant en même temps, mêlant tout, passé et présent de sorte que la seule certitude que l'on puisse en tirer c'est qu'il est précisément impossible de liquider son passé, celui-ci se projetant en avant, se déguisant sous une fausse appellation (le « futur »), déjouant en somme celui-là même qui voulait s'en défaire ou plutôt le « liquider » (comme on liquide un témoin gênant), prenant royalement sa place sous la forme de ce superbe renversement qui clôture la citation : « C'est toujours son passé qui se souvient de lui » !

Ce texte, chef-d'œuvre de contradictions, indique bien l'incapacité du narrateur de se défaire de son passé. Comme tous les autres narrateurs, Clément est en quelque sorte programmé, entraîné à répéter le drame d'Isabelle de sorte qu'il ne peut que trouver « naturel » (d'autres diraient « fatal ») l'échec de son amour pour Céline.

Ainsi, comme je l'ai déjà affirmé précédemment, et pour reprendre un air connu, « il n'y a pas d'amour heureux » chez La Rocque parce qu'il n'y a aucune communication possible dans la relation du couple. Les rapports y sont trop tendus, trop calculés pour que l'un et l'autre agissent avec naturel.

Chacun se replie donc sur soi et pratique soit le mutisme soit l'attaque verbale. D'entrée de jeu les dés sont pipés de sorte qu'on en arrive inévitablement après l'affront verbal à l'échec sexuel qui consomme de façon définitive la rupture du couple. Le « il se retirait, mollissait, ce n'était plus possible » constaté par Jérôme dans *Le Nombril,* le premier roman de La Rocque, est redit en écho (« Il se sentit mollir. Alors il se retira d'elle, sans un mot » *P,* p. 98) dans *Le Passager,* son dernier roman. Et si dans le premier cas, Nathalie qui n'a que seize ans n'en fait pas trop grief à son partenaire, dans *Le Passager,* Liliane ne le prend pas de la même façon. Humiliée et furieuse, « elle se masturb(e) violemment » (*P,* p. 98) tout en « l'injuriant avec les mots les plus obcènes et les plus orduriers, secouant le lit au rythme dément de son tripotage forcené ». (*P,* p. 99).

Gaby, quant à elle, écœurée d'être le déversoir à sperme de Roch, « au risque de lui faire déglinguer sa patente » (*B,* p. 77) se lève d'un coup sur son séant en pleine séance de pistonnage, au grand dam d'un Roch tout « démonté, à genoux risible au milieu de son lit avec sa trompe penaude piquant du nez devant lui » (*P,* 77) qui lui lance, incrédule et ahuri : « — Mais qu'est-ce qui te prend ?... es-tu folle ?... mais qu'est-ce que tu fais là, sacrament !... » (*B,* p. 77). Et Gaby, si elle avait eu moindrement le sens de l'humour, aurait dû répondre : « Excuse-moi, je dois m'en retourner chez ma mère », ce que de toute façon elle fait.

Pourquoi Gaby, qui a pourtant trente ans, retourne-t-elle chez ses parents plutôt que chez une amie ? La réponse pourrait être, en poursuivant toujours dans la même veine humoristique : « Parce que tous les personnages (qui n'ont jamais quitté les paysages de leur enfance) en font de même ». Même Bernard Pion (qui a 35 ans passés) se réfugie chez son oncle Émilien le bien-aimé lui qui, un jour, avait lancé comme malgré lui, « mais mon pauvre enfant, ton père, c'est un trou d'cul ! » (*P,* p. 24).

Et de fait, dans l'œuvre de Gilbert La Rocque, les pères sont soit des « trous d'cul » soit des brutes. Il y a donc les pères

dans le genre de l'oncle Adélard, énorme, poilu, la voix toni-
truante, la « strappe » à la portée de la main, ingurgitant de la
bière à la caisse sans qu'il y paraisse, et c'est lui que l'on
retrouve autant dans *Le Nombril,* dans *Après la boue* que dans
*Serge d'entre les morts.* Permanence de cette figure d'autorité
contre laquelle Nathalie et Colette se révoltent, elles qui ont
décidé de faire leur vie avec l'homme qu'elles désirent, celui
avec qui elles baisent, peu importe les injures, les coups qu'elles
reçoivent de ce père jaloux parce que lui-même qui les a violées
(c'est assez évident dans le cas de Nathalie du *Nombril*) veut
garder toute autorité sur elles qui, de leur côté, ont décidé de
rompre à tout jamais avec ce père (« pis j'ai cessé d'avoir peur
de lui parce que je savais qu'y pourrait jamais me battre plus
fort que ce soir-là... » *N,* p. 174).

Il y a donc les brutes et les trous de cul. Les trous de cul
sont de la race des lavettes, des éponges, sortes de légumes
ramollis dégorgeant matutinalement leur pituite, ce liquide
glaireux, nauséabond qui empeste la maison parce qu'ils n'ont
même pas la force de se rendre jusqu'au cabinet de toilette
pour renverser leur trop plein. Le père de Bernard Pion dans
*Le Passager* en est le plus pur représentant de même que celui
d'Alain dans *Les Masques.* Dans les deux cas, il s'agit de pères
ignobles et terrifiants capables d'abandonner des heures durant
leur enfant dans une auto pour pouvoir mieux se paqueter la
gueule à la taverne, capables aussi, comme c'est le cas pour
Alain, de donner son enfant à une parente afin de pouvoir
mieux faire la fête avec une Gertrude, toujours excitée à l'idée
de se faire ramoner le bas du ventre, n'ayant que ça en tête,
s'exerçant même à séduire Alain, « à peine six ans » un enfant
en somme devant lequel « elle s'ouvrait beau le mollusque
devant lui » (*M,* p. 133), l'obligeant « à mettre sa face dans ses
odeurs dans son poil pisseux » (*M,* p. 133) et lui, figé, ne
pouvant comprendre la perversion de ces mots (quoique plus
tard excité par eux) « envoye envoye suce-moi p'tit cochon
ah le p'tit cochon » (*M,* p. 67). Médusé donc à la vue de ce
trou infâme, de cette terrorisante bouche d'ombre, il ne pourra
faire autrement que d'aller « vomir dans le bol de toilettes »

(*M*, p. 67). Si les pères occupent une place évidente et abhor-
rée dans l'œuvre de La Rocque (Oedipe, le gros loup, rôde
toujours dans le bosquet du texte imprimé), la mauvaise mère,
elle, la gorgone, la Méduse, la Moloch, dévoreuse d'enfants,
vicieuse, tapie dans l'ombre, se berçant à toute heure, allant
et venant sur les châteaux de sa chaise criii craaa, guettant
patiemment et cyniquement sa proie, y occupe toute la place.
La Femme à la bouche rouge et aux dents d'or mais aussi au
trou sombre, plein d'odeurs, fait l'objet d'un questionnement
incessant et obsessionnel de la part de La Rocque. Gérard
Bessette a, à juste titre, insisté, dans *Le Semestre*, sur cette
image maléfique de la Mère, la considérant comme fonda-
mentale. Et il revient à plusieurs reprises sur ce passage qui
lui paraît exemplaire :

> vous savez que votre père n'est plus là vous êtes seul
> dans la maison vous marchez dans le corridor et il y a
> cette grande femme rouge qui se berce alors elle se lève
> et vous voyez qu'elle a une face de cire blanche et une
> immense bouche rouge barbouillée de rouge à lèvres
> rouge très rouge elle a des dents pour vous déchirer et
> elle vous sourit elle veut ressembler à votre mère (*S*,
> p. 145).

Et de fait la femme à la bouche rouge, c'est à la fois la
mère, la tante, la grand-mère, toutes images confondues pour
éviter précisément de ne lui donner qu'un seul nom atroce,
scandaleux, celui de MÈRE. Ainsi donc pour éviter le pire,
c'est-à-dire le désir matricide, le complexe familial déborde de
son cadre triangulaire pour absorber la branche avunculaire.
Impossible d'ignorer la présence des oncles et des tantes grâce
auxquels s'élabore, dans l'œuvre de La Rocque, une fantas-
matique incestueuse et œdipienne. Si Serge a cru pouvoir
éliminer son père de manière à se donner la voie libre, c'est
à son oncle, énorme, terrifiant, qu'il se bute. Contre lui rien
à faire pour la possession de sa mère. Serge reportera donc
son amour sur sa cousine mais aussi sa sœur (« cochon t'a pas
le droit parce que maintenant c'est ta sœur » *S*, p. 51) pour
y connaître là encore, et pour les raisons que j'ai dites, l'échec,

Colette étant à l'image d'Isabelle et prononçant du reste les mêmes paroles castratrices « je vais le dire à popa » (*S*, p. 55). Et Serge de poursuivre « je voulais lui faire mal, je ne voulais pas que nous restions dans la maison de mon oncle Lucien et que moman couche dans sa chambre à lui pendant que moi je serais glacé dans le noir de ma chambre hostile » (*S*, p. 55).

Tout l'avenir de Serge, on le sent, on le sait, se joue au cours de cette période cruciale de son existence de sorte que les avatars de ce qu'il sera, c'est-à-dire les personnages narrateurs des autres romans, seront tous aux prises avec des Colette ou des Isabelle à qui ils voudront « faire mal », car pour reprendre la formule de Jérôme dans *Corridors* : « c'est toujours le passé qui se souvient d'eux », qui les attrape au détour, les empêchant d'aller au delà d'une certaine enfance, d'un certain moment, celui d'une fête tragique, ou brutalement tout a basculé dans la culpabilité, l'angoisse et la mort. Or ce rappel de la fête tragique est constant dans l'œuvre de La Rocque. Impossible d'y échapper et surtout de ne pas être à tout jamais bouleversé par elle. La fête, c'est le théâtre où se joue le drame de la vie. Si, par exemple, Colette est incapable de supporter le « sprigne » de Roch, c'est parce que dans son enfance, un soir de Noël chez sa grand-mère, elle a été sexuellement agressée par son oncle Émilien qui, tout en se masturbant, la fouillant frénétiquement dans l'entrecuisse de sa main froide et sèche pendant que Gabrielle, terrorisée, retenant son souffle « n'os(ait) pas parler et même moins bouger car son oncle est fort, il est brutal et quand il est ivre il se bat, il fait saigner les gens » (*B*, p. 16). Gabrielle ne pardonnera surtout pas (elle le battra plus tard à mort) à son père de ne pas avoir pris sa défense ce soir-là. À partir de cet instant, tout sera joué et Gabrielle sera effectivement incapable de supporter toute forme d'échanges sexuels à l'exception de ceux qu'elle aura avec Gloria mais aussi avec Ti-Nesse l'épileptique. Cette fête tragique, elle est aussi celle d'Alain qui y perd son fils Éric (dans *Les Masques*), elle est celle de Serge lors du mariage de Colette, elle est celle de Bernard Pion lors de la remise du prix Lambert-Closse. À chaque fois c'est le même scénario : chacun se retrouve face à lui-même, face à ce qu'il est, mais surtout à ce qu'il fut, c'est-à-dire obligé par les événements de déterrer son passé, de débusquer les images hideuses refoulées depuis toujours et qu'il lui faut dorénavant affronter de face au risque d'y laisser sa peau. À chaque fois donc les masques tombent et le carnaval de la vie livre alors son vrai visage : y apparaît le spectre absolument terrifiant de la mort entrevue pour la première fois sous les traits combien tendus du désir.

André Vanasse

# Œuvres de Gilbert La Rocque

*Le Nombril,* roman, Montréal, Éditions du Jour, 1970, 208 p., Coll. « Les Romanciers du Jour » ; Québec/Amérique (édition revue par l'auteur), 1982, 174 p., Coll. « Littérature d'Amérique ».

*Corridors,* roman, Montréal, Éditions du Jour, 1971, 214 p., Coll. « Les Romanciers du Jour » ; Québec/Amérique, 1985, 214 p., Coll. « Littérature d'Amérique ».

*Après la boue,* roman, Montréal, Éditions du Jour, 1972, 207 p., Coll. « Les Romanciers du Jour » ; Québec/Amérique (édition revue par l'auteur), 1981, 197 p., Coll. « Littérature d'Amérique ».

*Serge d'entre les morts,* roman, Montréal-Nord, VLB Éditeur, 1976, 147 p.

*Le Refuge,* théâtre, Montréal-Nord, VLB Éditeur, 1979, 140 p.

*Les Masques,* roman, Montréal, Québec/Amérique, 1980, 191 p., Coll. « Littérature d'Amérique ».

*Le Passager,* roman, Montréal, Québec/Amérique, 1984, 212 p., Coll. « Littérature d'Amérique ».

# Articles de Gilbert La Rocque

« À Rosemont », *Le Devoir,* 18 mai 1974, p. 17.

« Aux confins du Sahara, des mosquées de sable », *Perspectives,* 10 janvier 1976, p. 9-14.

« Bas les armes ! », *Perspectives,* 24 janvier 1976, p. 2-4.

« Tout le monde, il médite, tout le monde, il est beau», *Le Maclean,* mai 1976, p. 15-20.

«Montréal qui brûle», *Perspectives,* 2 mai 1976, p. 6-9.

« On peut vaincre l'invalidité », *Perspectives,* 9 mai 1976, p. 2-4.

« Pas de chicane dans ma cabane », *Perspectives,* 23 mai 1976, p. 9-11.

« Au temps où le sifflet de la Shop Angus réglait la vie de tout un quartier », *Perspectives,* 30 mai 1976, p. 2-5.

« M. Armand Senécal ? Mais c'est un homme étonnant ! », *Perspectives,* 12 juin 1976, p. 2-4.

« Des bijoux d'armes », *Perspectives,* 17 juillet 1976, p. 10-11.

« Le style et le kimono, ou comment on peut être écrivain sans être émacié, fluet et ankylosé », *Perspectives,* 19 août 1978, p. 4-5.

« La mesquinerie d'une insinuation », *Le Devoir,* 11 décembre 1982, 1 page.

## Articles de Gilbert La Rocque publiés dans le magazine *Québec/Amérique*

« Quand la crise de croissance devient une maladie honteuse », vol. 1, no 1, p. 2.

« Cadavres et Cie », vol. 1, no 2, p. 3.

« Tout est pour le mieux dans le...(air connu) », vol. 2, no 3, p. 6.

« Torchonneur sachant torchonner... », vol. 2, no 4, p. 3.

« Les machines à livres », vol. 3, nos 5-6, p. 3.

« Pieds nus dans l'auge », vol. 3, no 7, p. 2.

« Avoir Martel en tête, ou la culture du navet », vol. 5, no 9, p. 2-3 ; « Le Prix Robert-Cliche : toujours un club privé », p. 59-61.

# Inédits de Gilbert La Rocque :
## manuscrits écrits à la main ou dactylographiés par l'auteur

La famille de Gilbert La Rocque m'a demandé de classer les manuscrits du disparu comme préliminaire à leur dépôt en lieu sûr où ils pourront être mis à la disposition des chercheurs. Cette expérience fut pour moi une véritable révélation : 2435 pages d'inédits (nouvelles, romans, journal intime, poèmes, correspondance impressionnante, entre autres avec Gérard Bessette) ; 4565 pages de manuscrits originaux, dont certains seront sans doute un jour publiés.

Gilbert La Rocque était un écrivain très méthodique, en ce sens qu'il voulait que ses écrits soient parfaits au plan de l'organisation interne et de la spontanéité. Pour chaque roman, il existe plusieurs versions, des variantes, des notes, des résumés, des études de personnages, des plans, des cartes, des réflexions pertinentes. Plus de 300 fiches contenant des citations des auteurs préférés de La Rocque permettront un jour aux chercheurs d'examiner le phénomène des influences. Voilà donc une source de renseignements extraordinairement riche pour toute personne intéressée aux mécanismes de l'acte créateur. Tous les manuscrits de Gilbert La Rocque sont maintenant répertoriés et classés.

Gilbert La Rocque était non seulement romancier, mais aussi peintre (voir le tableau surréaliste reproduit en page couverture). Comme Victor Hugo, il se plaisait à illustrer ses romans. Ses caricatures, dessins et aquarelles représentant les principaux personnages de ses romans constituent une richesse unique dans les annales de la littérature québécoise.

Les manuscrits ainsi que les autres documents mentionnés ci-dessus (7298 pages ; 174 caricatures, aquarelles et dessins) font partie du patrimoine national et rendront sans doute d'inestimables services aux spécialistes de la littérature québécoise.

1. Correspondance avec Murielle Ross (1963-65) : 76 p.

2. Correspondance avec Michel de Lorimier (1961-1984) : 100 p.

3. Correspondance avec Gérard Bessette (1976-1984) : 68 p.

4. Compositions et notes sur des écrivains, Belles-Lettres (1959-60) : 181 p.

5. *Nouvelles* (« Plan pour une nouvelle », « Autour de la porte », « La Fuite », « Pégase », « Je ne chante pas l'humanité », « Septembre », « Mystère du crépuscule », « Sontran », 1962-64) : 17 p.

6. *Manuscrit d'un arachnide* (nouvelle, 1963) : 71 p.

7. *Le Temps des outardes* (nouvelle, 1963) : 65 p.

8. « Antichambre » et « L'Homme suprême ou le grand œuvre » (essais : réflexions sur l'art, 1966) : 156 p.

9. Poèmes et chansons (plus de 400 poèmes et quelques chansons, dont trois recueils — *À Volonté, Espaces, Poèmes* —, 1960-66) : 570 p.

10. *Le Jeu de l'ancêtre* (nouvelle, 196?) : 42 p.

11. *Le Postulant* (nouvelle, 1967, avec variantes) : 103 p.

12. *Vertiges* (fragment, 196?) : 12 p.

13. *Nouvelles* (« Le Chasseur 5 », « L'Angélus », « Stabat Mater », « L'Arbre triomphe », « La Quatrième nuit » ; 1967-68) : 113 p.

14. Plan de roman ; plans de nouvelles (196?) : 16 p.

15. Roman (titre provisoire, *Le Vicaire*, 1968) : 198 p. et 5 caricatures inspirées du roman.

16. *Le Jardin de Monsieur Faugelle* (roman, 1967-68, avec variantes) : 473 p. et 3 caricatures.

17. *Le Massacre des frères macchabées* (projet de roman, 1973) : 24 p. et 17 caricatures et aquarelles de l'auteur.

18. *Le Bonheur des autres* (projet de téléroman, 1974) : 13 p.

19. *Les Voyages du Grand Kronos* (téléroman, 197?) : 27 p.

20. Projets de téléroman ; sketches (197?) : 28 p.

21. Notes sur le voyant américain Edgar Cayce (197?) : 9 p.

22. *Journal intime,* textes autobiographiques (1959-1984) : 73 p.

23. 136 aquarelles, dessins, et caricatures.

24. 306 fiches (citations d'auteur).

# Manuscrits originaux de Gilbert La Rocque

**(voir mon introduction, p. 127)**

(voir mon introduction, p. 127)

1. **Le Nombril**

— première version, *Les Parasites* : 185 p.
deuxième version, *Les Parasites* : 244 p.
troisième version, *Le Nombril*, 231 p.

— deuxième version publiée du *Nombril* : 164 p.

— documents divers : 15 p.

2. **Corridors**

— manuscrit corrigé : 259 p., ainsi que 13 caricatures.

— documents divers : 16 p.

3. **Après la boue**

— première version, *Gabrielle* : 377 p.
deuxième version, *Gabrielle* : 244 p.

— documents divers : 36 p.

4. **Serge d'entre les morts**

— première version, *La Maison* : 382 p.
deuxième version, *La Maison* : 153 p.
version finale, *Serge d'entre les morts* : 154 p.

5. **Le Refuge**

— premier manuscrit : 220 p.

— documents divers : 7 p.

6. **Les Masques**

— première version, *Le Bel été* : 201 p.
  deuxième version, *Le Bel été* : 200 p.
  troisième version, *Le Bel été* : 197 p.

— version finale, *Les Masques* : 235 p.

— épreuves corrigées : 92 p.

— documents divers : 22 p.

7. **Le Passager**

— première version : 355 p.
  deuxième version : 347 p.

— version finale : 229 p.

# Bibliographie

### Le Nombril

« *Le Nombril* de Gilbert La Rocque », Claude Savoie, *Livres et auteurs québécois 1970,* p. 65-66.

« *Le Nombril* de La Rocque », Jean Basile, *Le Devoir,* 16 mai 1970, p. 14.

« *Le Nombril* », André Major, *Dimanche-Matin,* 17 mai 1970, p. 66.

« *Le Nombril,* atroce roman », Françoy Roberge, *Sept Jours,* 23 mai-6 juin 1970, p. 36-37.

« La nuitte de Jérôme Untel », Réginald Martel, *La Presse,* 6 juin 1970, p. 29.

« Des fleurs pour Minou et un nombril pour Jérôme », Jean Éthier-Blais, *Le Devoir,* 27 juin 1970, p. 15.

« Un bon roman mais...*Le Nombril* de La Rocque n'est pas celui du monde », *La Patrie,* 19 juillet 1970, p. 14.

« Grandeurs et misères du jeune roman québécois », Victor-Lévy Beaulieu, *Le Devoir,* « Supplément littéraire », 14 novembre 1970, p. 20.

« *Le Nombril* », *Le livre canadien,* vol. 1, 1970, p. 1.

\* \* \*

### Corridors

« Study of cowardice, a second novel for La Rocque », John Richmond, *The Montreal Star,* June 3, 1971, p. 67.

« Les couloirs de l'amour », Jean Éthier-Blais, *Le Devoir,* 12 juin 1971, p. 16.

« Une autre chronique de ce temps », Réginald Martel, *La Presse,* 26 juin 1971, p. C 4.

« *Corridors* de Gilbert La Rocque », Michel Beaulieu, *Point de mire,* 10 juillet 1971, p. 44-45.

« Corridors », Paule Saint-Onge, *Châtelaine,* septembre 1971, 1 page.

« La violence avant et après la lettre dans le roman québécois d'aujourd'hui », Donald Smith, *Livres et auteurs québécois 1971,* p. 29-36.

\* \* \*

### Après la boue

« Nos derniers nouveaux romans », Jean Éthier-Blais, *Le Devoir,* 14 octobre 1972, p. 19.

« *Après la boue* », Jean Laurac, *Dimanche/Dernière heure,* 15 octobre 1972, p. 23.

« Entre les lignes : faire œuvre dans les faubourgs à m'lasse », Victor-Lévy Beaulieu, *Le Nouveau Samedi,* 22 octobre 1972, p. 46.

« Malheur, mon beau souci », Réginald Martel, *La Presse,* 25 novembre 1972, p. D 3.

« La fraternité de l'ordure », Paul Gay, *Le Droit,* 16 décembre 1972, p. 15.

« Bilan littéraire », Victor-Lévy Beaulieu, *Le Devoir,* 30 décembre 1972, p. 13.

« *Après la boue* », Donald Smith, *Livres et auteurs québécois 1972,* p. 66-68.

« Gilbert La Rocque, *Après la boue* », *La semaine du livre,* no 7, 1972, p. 19.

« L'enfance, terre de contradictions », Gabrielle Poulin, *Relations,* février 1973, p. 55-57.

« *Après la boue* de Gilbert La Rocque », François Hébert, *Études françaises,* novembre 1973, p. 352-353.

\* \* \*

### Serge d'entre les morts

« Gilbert La Rocque : *Serge d'entre les morts* », Jean Fisette, *Livres et auteurs québécois 1976,* p. 71-74.

« Gilbert La Rocque, un style et un pouvoir de souffrance », Jean Basile, *Le Devoir,* 10 avril 1976, p. 14.

« La Rocque nous fait découvrir la viande », Yvon Rivard, *Livre d'ici,* mai 1976, p. 35.

« Serge Sade, l'enfant de chœur ! », Gaëtan Dostie, *Le Jour,* 28 mai 1976, p. 28.

« L'art de tuer les enfants », Réginald Martel, *La Presse,* 29 mai 1976, p. E 3.

\* \* \*

### Le Refuge

« Un drame psychologique de Gilbert La Rocque », Fernand Côté, *Ici Radio-Canada,* 29 octobre au 4 novembre 1977, p. 10.

« De nouveau avec les écrivains », Jean Basile, *Le Devoir,* 5 août 1975, p. 12.

« Gilbert La Rocque, *Le Refuge* », Françoise Tétu de Labsade, *Livres et auteurs québécois 1979,* p. 199-201.

« De la belle typographie à de la gênante hagiographie », Martial Dassylva, *La Presse,* 14 avril 1979, p. C 6.

* * *

### Les Masques

« *Les Masques* de Gilbert La Rocque », Gérard Bessette, *Voix et images,* hiver 1981, p. 319-321.

« Gilbert La Rocque, Les Masques », Marc Boucher, *Livres et auteurs québécois 1980,* p. 47-48.

« Quand l'analytique et le fictionnel s'emmêlent », Jean Fisette, *Magazine Québec/Amérique,* no 5-6, 1981, p. 4-5.

« Un livre qui envoûte et dérange », Madeleine Ouellette-Michalska, *Le Devoir,* 17 janvier 1981, p. 19.

« *Les Masques* », Michel Solomon, *Regards sur Israël,* janvier-février 1981, p. 9.

« *Les Masques* », Gilles Dorion, *Québec français,* février 1981, p. 10.

« *Les Masques* », Louis Lasnier, *Nos Livres,* février 1981, p. 6-7.

« Une écriture liquide », Monique LaRue, *Spirale,* mars 1981, p. 8.

« La mort qui démasque », *Le Journal maskoutain,* p. 10.

« La femme à la bouche rouge », André Vanasse, *Lettres québécoises,* été 1981, p. 23-24.

« Finie la mascarade, ôtez vos masques ! », Michel Beaulieu, *Livre d'ici,* 16 décembre 1981, p. 14.

« Des livres-cadeaux », Jean Royer, *Le Devoir,* 19 décembre 1981, p. 34.

« Gilbert La Rocque : *Les Masques* », Michèle Mailhot, *Le Droit,* 16 janvier 1982, p. 14.

« Foul-weather Pastorals », P. Merivale, *Canadian Literature,* Spring, 1983, p. 147-149.

« *Les Masques,* Maurice Gagnon, *French Review,* 1982, p. 172-173.

« Un subtil jeu de mots », Gérard Pourcel, *Le Lac-Saint-Jean,* 17 mars 1982, p. 24.

« Pour Gilbert La Rocque, la littérature doit être envisagée comme une tentative, en tant que domaine de combinaisons », Pascal-Andrée Rhéault-Boissé, *L'Oeil régional,* 20 janvier 1982, p. 33.

« La tragédie de l'enfant noyé », Gérard Gaudet, *Le Devoir,* p. 24.

\* \* \*

### Le Passager

« *Le Passager* de Gilbert La Rocque », Jacques Thériault, *Livre d'ici,* octobre 1984, p. 14-15.

« Bernard d'entre les Fous », Réginald Martel, *La Presse,* 27 octobre 1984, p. D3.

« Narcisse à la toilette », François Hébert, *Le Devoir,* 3 novembre 1984, p. 23.

« Une écriture implacable », Gabrielle Poulin, *Le Droit,* 17 novembre 1984, p. 16.

« La présence de Gilbert La Rocque », Pascal-André Rhéault-Boissé, *L'Oeil régional,* 5 décembre 1984, p. 58.

« Le testament d'un grand romancier », Gabrielle Poulin, *Le Droit,* 8 décembre 1984, p. 28 (reproduit dans *Lettres québécoises,* printemps 1985, p. 11-12).

« Le héros blessé de la page 111 », Jean Royer, *Le Devoir,* 1er décembre 1984, p. 21, p. 32.

« Violence et fantasme », André Vanasse, *Lettres québécoises,* hiver 84-85, p. 13-14.

« Gilbert La Rocque, 1943-1984 », comité de rédaction, *Livre d'ici,* décembre 1984, p. 20.

« *Le Passager,* Louis Lasnier, *Nos livres,* janvier 1985, p. 23-25 ; entrevue inachevée, p. 5.

« *Le Passager* », Paul Chanel Malenfant, *Nuit blanche,* février-mars 1985, p. 6.

« Un Disparu », Daniel Hart, *Art d'œuvre,* p. 23.

\* \* \*

### Articles et documents divers

« ...sachant que le sexe est cousin de la mort », André Vanasse, *Lettres québécoises,* novembre 1977, p. 47-49.

« Vers la découverte de l'identité : les trois premiers romans de G. La Rocque », Els Post-Pierterse, *Voix et images,* décembre 1977, p. 277-301.

*Destin littéraire du Québec,* Gérard Tougas, éditions Québec/Amérique, 1982, p. 94-95, p. 113-117.

« Quebec's Revolutionary Novels », Leonard W. Sugden, *Canadian Literature,* Automn 1979, p. 135-137.

« Écrire pour arracher les masques », Gilles Dorion, *Québec français,* décembre 1982, p. 28-31.

« The Confessor : Quebec/Amérique's La Rocque », David Homel, *Quill and Quire,* May 1983, p. 22.

« Le testament de la colère », Rolande Allard-Lacerte, *Le Devoir,* 29 novembre 1984, p. 8.

« Hommage à un grand écrivain », témoignages d'écrivains, de critiques et d'amis suite à la mort de Gilbert La Rocque, *Le Devoir,* 1er décembre 1984, p. 25.

« Portrait : Gilbert La Rocque vivant... », Véronique Robert, *Livre d'ici,* décembre 1984, p. 19.

« Gilbert La Rocque : le voyage au bout de la vie », Cahier spécial en hommage à Gilbert La Rocque, éditions Québec/Amérique, février 1985, 15 pages.

« Hommage posthume à Gilbert La Rocque », Dominique Laliberté, *L'Oeil régional,* février 1985, p. 56.

\* \* \*

### Entrevues accordées par Gilbert La Rocque

*Le Devoir,* 16 mai 1970, « *Le Nombril* » de La Rocque, entrevue accordée à Jean Basile, p. 14.

*Montréal-Nord,* 20 mai 1970, « *Le Nombril* », entrevue accordée à Denyse Monte, p. 15.

*Québec/Presse,* 25 juillet 1971, « Gilbert La Rocque, romancier et fonctionnaire », avec Micheline Lachance-Handfield, p. 21.

*Le Maclean,* décembre 1972, « L'École du Jour », avec André Vanasse, p. 24, p. 67, p. 68.

*La Presse,* 1972, « Gilbert La Rocque : un roman par un », avec Jean-Claude Trait, p. D4.

*Lettres québécoises,* novembre 1977, « Gilbert La Rocque ou comment le romancier se fait l'interprète de son subconscient », avec Donald Smith, p. 42-46.

*Journal de Montréal,* 27 décembre 1980, « Les auteurs de chez nous », avec Jean-Guy Martin, p. 22.

*Journal de Montréal,* « Gilbert La Rocque : Grand Prix littéraire du *Journal de Montréal* 1981 », avec Jean-Guy Martin, p. 26.

*Le Devoir,* 19 décembre 1981, « Gilbert La Rocque : l'édition, c'est une fête », avec Jean Royer, p. 21, p. 40.

*Québec/français,* décembre 1982, « Dossier Gilbert La Rocque », avec Aurélien Boivin et Gilles Dorion, p. 24-27.

« La seule façon d'écrire, c'est de commencer à le faire », Roger Desautels, *Le Guide de Montréal-Nord,* 2 juin 1982, p. 1.

*Journal de Genève,* 17 juillet 1982, « Entretien avec Gilbert La Rocque », avec Henri-Dominique Paratte, Cahier « Critique-Essai ».

*L'Écrivain devant son œuvre,* Éditions Québec/Amérique, 1983, avec Donald Smith, p. 293-311.

« Entre nous », CFTM, 28 septembre 1983, entrevue avec Serge Laprade.

« Entre les lignes », Radio-Canada, novembre 1984, avec Denise Bombardier.

« Les belles heures », Radio-Canada, novembre 1984, avec Suzanne Giguère.

« Livre d'ici », décembre 1984, Radios privées de province, avec Jacques Thériault et Yves Taschereau.

« Le Club du livre », Magasins Eaton, entretien avec Donald Smith sur *Le Passager.*

*Nos livres,* janvier 1985, « *Le Passager* de Gilbert La Rocque », p. 5.

*Lettres québécoises,* printemps 1985, « Gilbert La Rocque et la maîtrise de l'écriture : entrevue-témoignage », avec Donald Smith, p. 13-16 (entrevue filmée par « Le Club du livre » des magasins Eaton, novembre 1984).

*Voix d'écrivains,* Éditions Québec/Amérique, 1985, avec Gérard Gaudet, p. 141-152.

# TABLE DES MATIÈRES

## Dans la même collection
## créée par Gilbert La Rocque

**OUVRARD, Hélène**
L'herbe et le varech
La Noyante

**PLANTE, Raymond**
Le Train sauvage

**POULIN, Gabrielle**
Les Mensonges d'Isabelle

**POULIN, Jacques**
Volkswagen Blues

**PROULX, Monique**
Sans cœur et sans reproche

**RIOUX, Hélène**
Une histoire gitane

**ROBIN, Régine**
La Québécoite

**SMITH, Donald**
L'Écrivain devant son œuvre
Gilles Vigneault, conteur et poète

**SZUCSANY, Désirée**
Le Violon

**THÉRIO, Adrien**
Marie-Ève, Marie-Ève

**TOUGAS, Gérard**
Destin littéraire du Québec

**TYLER, Anne**
Le Déjeuner de la nostalgie